LORAND GASPAR

Lorand Gaspar est né en 1925, en Transylvanie orientale. Au terme
d'un long cheminement plein de vicissitudes à travers une Europe
ensanglantée, il s'établit en 1946 en France. Après des études
médicales à Paris, il exerce comme chirurgien au Proche Orient, puis
à Tunis. Principaux ouvrages publiés : *Le quatrième état de la matière*,
1966, Flammarion ; *Egée, suivi de Judée*, 1980 ; *Sol absolu et autres
textes*, 1982 ; *Approche de la parole*, 1978 ; *Feuilles d'observation*,
1986, aux Éditions Gallimard ; *Journaux de Voyage*, 1985, aux
Éditions Picquier — Calligraphe ; traductions : *Trois poèmes secrets*
de Georges Seferis (en collaboration avec Yves Bonnefoy), 1970 et
Journal de Georges Seferis, 1975, au Mercure de France ; *Poèmes
choisis* de Janos Pilinszky, 1982 (en collaboration avec Sarah Clair),
Éditions Gallimard ; *K.Z. Oratorio*, de Janos Pilinszky, 1983 (en
collaboration avec Sarah Clair), Obsidiane.

ORPHÉE, COLLECTION DIRIGÉE PAR CLAUDE MICHEL CLUNY

POÉSIE DE LANGUE ANGLAISE
À PARAÎTRE

Hart Crane, *Key West* et autres poèmes, traduits par François Tétreau et présentés par François Boddaert.
Emily Dickinson, *Poèmes*, traduits et présentés par Patrick Reumaux.
Thomas Hardy, *Poésies*, traduites et présentées par Frédéric-Jacques Temple.
John Keats, *Poésies*, traduites et présentées par Robert Davreu.
Christopher Marlowe, *Héro et Léandre*, traduit par Claude Dandrea.
Ezra Pound, *Cantos*, choisis, traduits et présentés par Ghislain Sartoris.
Frederic Prokosch, *Poèmes choisis*, traduits et présentés par Michel Bulteau.

Nous remercions chaleureusement notre ami Roger Little, professeur à Trinity College (Dublin) pour avoir bien voulu lire ces traductions ; ses remarques et ses conseils nous ont été particulièrement précieux.

Titres originaux des recueils dont les poèmes sont extraits : *Rhyming poems* ; *Unrhyming poems* ; *Pansies* ; *More pansies* ; *Last poems*.

D.H. LAWRENCE

SOUS L'ÉTOILE DU CHIEN

TRADUIT DE L'ANGLAIS
PAR LORAND GASPAR ET SARAH CLAIR
PRÉFACE DE L'AUTEUR
POSTFACE DE CLAUDE MICHEL CLUNY

ORPHÉE / LA DIFFÉRENCE

LA POÉSIE DU PRÉSENT
par D.H. Lawrence

Quand nous écoutons une alouette chanter, c'est comme si le son courait en avant dans l'avenir, courait si vite, si totalement sans considération, droit dans l'avenir. Et quand nous entendons un rossignol, nous entendons la césure et le rythme riche et perçant de la mémoire, le passé accompli. L'alouette peut rendre un son triste, mais d'une charmante tristesse surannée, qui est presque pamoison d'espoir. Le triomphe du rossignol est un péan, mais un péan de mort.

Il en est de même pour la poésie. La poésie est en règle générale soit une voix du futur éloigné, exquise et éthérée, soit la voix riche et magnifique du passé. Quand les Grecs entendaient *l'Iliade* et *l'Odyssée*, ils entendaient dans leurs cœurs l'appel de leur propre passé, comme les hommes à l'intérieur du pays entendent parfois la mer, et sont en proie à un regret et à une nostalgie puissants et merveilleux ; ou bien, leur propre avenir faisait onduler ses battements de temps à travers leur sang, tandis qu'ils suivaient les déploiements douloureux et enchanteurs de l'homme d'Ithaque. Voilà ce qu'était Homère pour les Grecs : leur Passé splendide plein de batailles gagnées et de mort consommée, et leur Futur, la pérégrination magique d'Ulysse à travers l'inconnu.

Pour nous c'est la même chose. Nos oiseaux chantent aux horizons. Leur chant nous vient du ciel, au-delà de nous, ou de l'intérieur de la nuit apaisée. Ils chantent à l'aube et au crépuscule. Seuls les serins apprivoisés sifflent tristes et stridents pendant que nous parlons. Les oiseaux sauvages commencent avant que nous soyons éveillés. Nos poètes sont assis aux portes, certains à l'est, d'autres à l'ouest. Quand nous arrivons ou quand nous partons nos cœurs vibrent ou entrent en résonance. Mais tant que nous sommes dans la mêlée de la vie, nous ne les entendons pas.

La poésie du commencement et la poésie de la fin, doivent avoir cette finalité, cette perfection exquise qui participent de tout ce qui est lointain. Elle appartient au royaume du parfait. Elle relève de la nature de tout ce qui est complet et consommé. Cette plénitude, cette complétude, la finalité, la perfection sont communiquées dans une forme exquise : la parfaite symétrie, le rythme qui revient sur lui-même comme une danse où les mains se joignent et se défont et se rejoignent pour le moment suprême de la fin. Moments passés conduits à la perfection, moments parfaits dans l'avenir miroitant, ce sont là les joyaux lyriques hautement prisés de Shelley et de Keats.

Mais il y a une autre sorte de poésie : la poésie de ce qui est proche : le présent immédiat... Dans le présent immédiat rien n'est parfait, ni achevé, ni fini. Les fils courent, frémissent, s'entremêlent dans le tissage, les eaux secouent la lune. Il n'y a pas de lune ronde, achevée sur la face de l'eau qui court, ni sur la face de la marée en mouvement. Le plasma vivant n'a pas de gemmes. Le plasma vivant vibre de façon indicible, il inhale le futur, il exhale le passé, il est le vif des deux, sans être aucun des deux. Il n'y a pas de finalité plasmatique, rien de cristallin, de permanent. Si nous essayons de fixer le tissu vivant comme le font les biologistes, nous n'obtenons sous notre regard qu'un morceau de passé durci, qu'un fragment de vie en allée.

La vie toujours présente ne connaît pas de finalité, pas de cristallisation accomplie. La rose parfaite n'est qu'une flamme élancée, émergeant et s'écoulant, et jamais en aucune façon en repos statique, terminée. C'est là sa beauté transcendante. La marée de toute vie et de tout temps se soulève tout à coup et se manifeste devant nous telle une apparition, une révélation. Nous regardons la très blanche chair vive de la création naissante. Un nénuphar se lève du courant, regarde alentour, rayonne et disparaît. Nous avons vu l'incarnation, la chair vive du flot toujours tourbillonnant, nous avons vu l'invisible. Nous avons vu, nous avons touché, nous avons participé à la substance même du changement créateur, de la mutation créatrice. Si vous me parlez du lotus, ne me parlez pas d'une chose éternelle, immuable. Parlez-moi du mystère de l'inépuisable, de la toujours vivace étincelle créatrice. Parlez-moi de la révélation incarnée du flux, de la mutation en fleur, du rire et de la déchéance parfaitement ouverts en leur passage, nus en leur mouvement devant nous.

Laissez-moi sentir la boue et le ciel dans mon lotus, laissez-moi sentir la lourde, la vaseuse, l'aspirante boue, les tournoiements des vents du ciel. Laissez-moi sentir les deux en contact intime, la nudité du poids aspirant, le rayonnement nu qui passe. Ne me donnez rien de fixe, d'assis, de statique. Ne me donnez pas l'infini ou l'éternel : rien de l'infinité, rien de l'éternité. Donnez-moi le calme, le blanc bouillonnement, l'incandescence et la froideur du moment incarné : le moment, la chair vive de tout changement, de toute hâte et de toute opposition : le moment, le présent immédiat, le Maintenant. Le moment immédiat n'est pas une goutte d'eau qui court avec le flot. C'est la source et l'issue, le jaillissement du flot ; ici en ce moment tout à fait immédiat, fait irruption le flot du temps, hors des puits du futur, s'écoulant vers les océans du passé. La source, l'issue, la chair vive créatrice.

Il y a la poésie du présent immédiat, poésie de l'instant, tout comme la poésie du passé infini et du futur infini. La poésie bouillonnante du Maintenant incarné est suprême, au-delà même des gemmes à jamais durables de l'avant et de l'après. Dans sa momentanéité frémissante elle surpasse les joyaux cristallins, durs comme des perles, les poèmes des éternités. Ne demandez pas les qualités des gemmes intemporelles qui ne se fanent pas. Demandez la blancheur qui est le bouillonnement de la boue, demandez la putréfaction commençante qui est la chute des cieux, demandez la vie même jamais cessante, jamais au repos. Il faut qu'il y ait mutation plus rapide que l'iridescence, hâte et pas repos, va-et-vient, pas fixité, inachèvement, immédiateté, la qualité même de la vie, sans dénouement ni clôture. Il doit y avoir une association rapide et momentanée de choses qui se rencontrent et qui continuent dans le voyage à jamais incalculable de la création. Toute chose laissée en sa relation propre, rapide et fluide avec le reste des choses.

C'est la poésie sans repos, insaisissable du pur présent, poésie dont la permanence est en son passage comparable aux vents. Celle de Whitman en est le meilleur exemple. Sans commencement et sans fin, sans nulle base et sans fronton, elle passe devant nous à jamais tel un vent sans cesse en mouvement et inenchaînable. Whitman a vraiment regardé l'avant et l'après. Mais il n'a pas soupiré après ce qui n'est pas. La clef de son expression est dans la pure appréciation de l'instantané, la vie se déversant en paroles à sa source première. L'éternité n'est qu'une abstraction formée à partir du présent actuel. L'infinité n'est qu'un grand réservoir de souvenirs ou d'aspirations fabriqués par l'homme. L'heure preste et tremblante du présent est le vif du temps. C'est l'immanence. Le vif de l'univers est *le soi charnel ou pulsatil*, mystérieux et palpable. Il en est toujours ainsi.

C'est parce que Whitman a mis cela dans sa poésie que nous le craignons et que nous le respectons si profondément. Nous ne l'aurions pas craint s'il avait chanté seulement les « vieilles misères d'ailleurs et d'autrefois » ou les « ailes du matin ». C'est parce que son cœur bat avec le Maintenant urgent et insurgé qui est le même pour nous tous que nous le craignons. Il est si proche du vif.

De ce qui précède il apparaît à l'évidence que la poésie de l'instant présent ne peut pas avoir le même corps, le même mouvement que celle de l'avant et de l'après. Elle ne peut jamais se soumettre aux mêmes conditions. Elle n'est jamais finie. Il n'y a pas là de rythme qui revient sur lui-même, pas de serpent d'éternité avec sa queue et sa propre bouche. Il n'y a pas là de perfection statique, rien de cette finalité que nous trouvons si satisfaisante parce que nous sommes si effrayés.

On a beaucoup écrit sur le vers libre. Mais tout ce qui peut en être dit, pour commencer et pour finir, est que le vers libre est ou devrait être une expression directe de l'homme total, instantané. C'est l'âme et l'esprit et le corps jaillissant de concert, ne laissant rien en dehors. Ils parlent tous ensemble. Il y a là un peu de confusion, quelques discordances. Mais confusion et discordance appartiennent à la réalité comme le bruit appartient au plongeon dans l'eau. Il est inutile d'inventer des lois farfelues pour le vers libre, inutile de dessiner une ligne mélodique sur laquelle tous les pieds doivent s'aligner. Le vers libre ne se conforme à aucune ligne mélodique. Peu importe le sergent instructeur. Whitman a élagué ses clichés — peut-être ses clichés de rythme autant que ceux d'expression. Et c'est à peu près tout ce que nous pouvons faire délibérément avec le vers libre. Nous pouvons nous débarrasser des mouvements stéréotypés et de nos vieux clichés d'associations de sons et de sens. Nous pouvons casser ces conduits et ces canaux artificiels à travers lesquels nous aimons tant faire couler notre expression. Nous pouvons casser le cou raide des habitudes. Nous pouvons être en nous-mêmes spontanés et flexibles comme une flamme, nous pouvons veiller à ce que l'expression surgisse sans écume artificielle ou sans douceur artificielle. Mais nous ne pouvons prescrire positivement aucun mouvement, aucun rythme. Toutes les lois que nous inventons ou découvrons — cela revient à peu près au même — ne pourront être appliquées au vers libre. Elles vont s'appliquer seulement à une forme de vers restreint, limité et non libre.

Tout ce que nous pouvons dire c'est que le vers libre n'a *pas* la même nature que le vers « restreint ». Il n'est pas de la nature de la réminiscence. Ce n'est pas le passé que nous conservons dans sa perfection entre nos mains. Il n'est pas plus le cristal du futur parfait sur lequel nous jetons notre regard. Sa crue n'est ni le plein flux ardent de l'aspiration, ni la marée douce et poignante du souvenir et du regret. Le passé et le futur sont les deux grandes bornes de l'émotion humaine, les deux grandes demeures des jours humains, les deux éternités. Les deux sont décisifs et définitifs. Leur beauté est la beauté du but achevé, mené à bien. Beauté achevée et symétrie mesurée appartiennent aux éternités stables et immuables.

Mais dans le vers libre nous cherchons le battement nu surgissant du moment instantané. Rompre la forme du vers métrique et empiler les fragments comme une nouvelle substance appelée vers libre est ce qu'accomplissent la plupart des versifications libres. Ils ne savent pas que le vers libre a sa *nature* propre, qu'il n'est ni étoile, ni perle, mais instant, mais instantané comme le plasma. Il ne vise aucune éternité. Il n'a pas de terme. Il n'a pas de stabilité satisfaisante, satisfaisante pour ceux qui aiment l'immuable. Rien de cela, il est l'instant, le vif, la source toute jaillissante de tout ce qui est à venir et de tout ce qui a été. La parole est comme un spasme, contact nu avec toutes les influences en même temps. Elle ne veut aller nulle part. Simplement elle a lieu.

Pour une telle expression toute loi appliquée de l'extérieur ne serait que pure entrave et mort. La loi doit venir chaque fois neuve et de l'intérieur. L'oiseau passe à tire d'aile, dans les vents, sensible à chaque souffle, étincelle vivante dans l'orage, son vacillement reposant sur sa suprême mutabilité et sa puissance de changement. D'où il est venu, vers quel lieu il va, de quelle terre solide il a surgi et sur quelle terre solide il va fermer ses ailes et s'asseoir, telle n'est pas la question. C'est une question d'avant et d'après. Maintenant, *maintenant* l'oiseau passe à tire d'aile, dans le vent.

Telle est la rare poésie nouvelle. Un royaume que nous n'avons jamais conquis : le pur présent. Un grand mystère du temps est *terra incognita* pour nous : l'instant. Nous avons à peine reconnu le plus superbe mystère : l'immédiat, l'instant lui-même. Le vif de tout temps est l'instant. Le vif de tout l'univers, de toute création est le soi incarné, charnel. La poésie nous a donné le fil : vers libre : Whitman. Maintenant nous savons.

L'idéal — qu'est-ce que l'idéal ? Une fiction, une abstraction. Abstraction statique, séparée de la vie. C'est un fragment de l'avant ou de l'après. C'est une aspiration cristallisée ou un souvenir cristallisé : cristallisé, figé, achevé. C'est une chose mise de côté dans le grand entrepôt de l'éternité, l'entrepôt des choses achevées.

Nous ne parlons pas de choses cristallisées et mises de côté. Nous parlons de l'instant, du soi immédiat, du plasma même du soi. Nous parlons aussi du vers libre.

Tout ceci aurait dû être comme une préface à *Look ! We Have Come Through*. Mais n'est-il pas mieux de publier une préface longtemps après le livre auquel elle appartient. Car le lecteur aura eu ainsi toutes ses chances avec le livre seul.

Pangbourne 1919 (préface à *New Poems*)

A WHITE BLOSSOM

A tiny moon as small and white as a single jasmine flower
Leans all alone above my window, on night's wintry bower,
Liquid as lime-tree blossom, soft as brilliant water or rain
She shines, the first white love of my youth, passionless and in
    vain.

UNE FLEUR BLANCHE

Une toute petite lune, aussi petite et blanche qu'une fleur de
    jasmin
Se penche solitaire au-dessus de ma fenêtre, sur la tonnelle
    hivernale de la nuit,
Liquide comme une fleur de tilleul, douce comme l'eau
    brillante ou la pluie
Elle brille, premier amour blanc de ma jeunesse, sans passion
    et en vain.

MALADE

The sick grapes on the chair by the bed lie prone ; at the window
The tassel of the blind swings constantly, tapping the pane
As the air moves in.

The room is the hollow rind of a fruit, a gourd
Scooped out and bare, where a spider,
Folded in its legs as in a bed,
Lies on the dust, watching where there is nothing to see but dusky
      walls.

And if the day outside were mine ! What is the day
But a grey cave, with great grey spider-cloths hanging
Low from the roof, and the wet dust falling softly from them
Over the wet dark rocks, the houses, and over
The spiders with white faces, that scuttle on the floor of the cave !

Ah, but I am ill, and it is still raining, coldly raining !

MALADE

Les raisins malades gisent sur la chaise près du lit ; à la
      fenêtre
Le gland de la persienne oscille sans cesse, frappant la vitre
Quand l'air s'engouffre.

La chambre est l'écorce vide d'un fruit, une courge
Evidée et nue, où une araignée,
Repliée entre ses jambes comme dans un lit,
Est couchée dans la poussière, guettant là où il n'y a rien à
      voir que des murs noirâtres.

Et si le jour au dehors était à moi ! Qu'est-ce que que le
      jour
Sinon une caverne grise, avec des grandes toiles d'araignées
      grises qui pendent
Très bas du plafond, et la poussière moite qui tombe
      doucement d'elles
Sur les noirs rochers humides, sur les maisons, sur
Les araignées aux figures blanches, qui rampent sur le sol de
      la caverne !

Oh ! mais je suis malade, et il pleut toujours, pluie froide !

BEI HENNEF

The little river twittering in the twilight,
The wan, wondering look of the pale sky,
          This is almost bliss.

And everything shut up and gone to sleep,
All the troubles and anxieties and pain
          Gone under the twilight.

Only the twilight now, and the soft « Sh ! » of the river
          That will last for ever.

And at last I know my love for you is here ;
I can see it all, it is whole like the twilight,
It is large, so large, I could not see it before,
Because of the little lights and flickers and interruptions,
          Troubles, anxieties and pains.

You are the call and I am the answer,
You are the wish, and I the fulfilment,
You are the night, and I the day.
          What else ? it is perfect enough.
          It is perfectly complete,
          You and I,
          What more — ?

Strange, how we suffer in spite of this !

BEI HENNEF

La petite rivière chantonne dans le crépuscule,
Le regard rêveur et blême du ciel pâle,
      C'est presque le bonheur.

Et tout est fermé, tout dort,
Toutes les peines et les angoisses et les soucis
      En allés dans le crépuscule.

Seulement le crépuscule et le doux, « ch ! » de la rivière
      Qui durera éternellement.

Et enfin je sais que mon amour pour toi est ici ;
Je peux le voir en entier, il est plein comme le crépuscule,
Si vaste, si vaste, je ne pouvais le voir auparavant,
A cause des petites lumières, des vacillements et des
      interruptions,
      Des soucis des angoisses et des peines.

Tu es l'appel, je suis la réponse,
Tu es le désir et je suis l'accomplissement,
Tu es la nuit, et je suis le jour.
      Quoi d'autre ? C'est assez parfait.
      C'est parfaitement plein,
      Toi et moi,
      Quoi de plus — ?

Etrange de tant souffrir en dépit de cela !

Hennef am Rhein

POMEGRANATE

You tell me I am wrong,
Who are you, who is anybody to tell me I am wrong ?
I am not wrong.

In Syracuse, rock left bare by the viciousness of Greek women,
No doubt you have forgotten the pomegranate-trees in flower,
Oh so red, and such a lot of them.

Whereas at Venice,
Abhorrent, green, slippery city
Whose Doges were old, and had ancient eyes,
In the dense foliage of the inner garden
Pomegranates like bright green stone,
And barbed, barbed with a crown,
Oh, crown of spiked green metal
Actually growing !

Now in Tuscany,
Pomegranates to warm your hands at ;
And crowns, kingly, generous, tilting crowns
Over the left eyebrow.

And, if you dare, the fissure !

LA GRENADE

Vous dites que je me trompe,
Qui êtes-vous, qui est qui que ce soit pour me dire que je me
      trompe ?
Je ne me trompe pas.

A Syracuse, rocher laissé nu par la perversité des femmes
      grecques,
Pas de doute, vous avez oublié les grenadiers en fleurs,
Ô si rouges et si nombreux.

Alors qu'à Venise,
Répugnante, verte, poisseuse cité
Dont les doges étaient vieux avec des yeux antiques,
Dans le dense feuillage du jardin intérieur
Des grenades comme de lumineuses pierres vertes,
Et barbelées, barbelées d'une couronne,
Ô couronne à pointes de vert métal
Et qui pousse vraiment !

Maintenant en Toscane
Des grenades pour y chauffer vos mains ;
Et des couronnes, royales, généreuses, couronnes penchées
Au-dessus du sourcil gauche.

Et si vous osez, la fissure !

Do you mean to tell me you will see no fissure ?
Do you prefer to look on the plain side ?
For all that, the setting suns are open.
The end cracks open with the beginning :
Rosy, tender, glittering within the fissure.

Do you mean to tell me there should be no fissure ?
No glittering, compact drops of dawn ?
Do you mean it is wrong, the gold filmed skin, integument, shown
        ruptured ?

For my part, I prefer my heart to be broken.
It is so lovely, dawn-kaleidoscopic within the crack.

Vous me dites que vous ne voyez pas de fissure ?
Vous préférez regarder la face plane ?
Pourtant les soleils couchants sont ouverts.
La fin éclate avec le commencement :
Rose, tendre, scintillante dans la fissure.

Vous me dites qu'il ne devrait pas y avoir de fissure ?
Pas de scintillante, compacte goutte d'aurore ?
Vous dites que c'est mal, cette peau plaquée d'or, cette peau
        montrée rompue ?

Pour ma part, je préfère avoir le cœur brisé.
C'est si merveilleux, kaléidoscope d'aurore dans la faille.

San Gervasio en Toscane

23

MEDLARS AND SORB-APPLES

I love you, rotten,
Delicious rottenness.

I love to suck you out from your skins
So brown and soft and coming suave,
So morbid, as the Italians say.

What a rare, powerful, reminiscent flavour
Comes out of your falling through the stages of decay :
Stream within stream.

Something of the same flavour of Syracusan muscat wine
Or vulgar Marsala.
Though even the word Marsala will smack of preciosity
Soon in the pussyfoot West.

What is it ?
What is it, in the grape turning raisin,
In the medlar, in the sorb-apple,
Wineskins of brown morbidity.
Autumnal excrementa ;
What is that reminds us of white gods ?

Gods nude as blanched nut-kernels,
Strangely, half-sinisterly flesh-fragrant
As if with sweat,
And drenched with mystery.

NÈFLES ET SORBES

Je vous aime pourries
Délicieuse pourriture.

J'aime vous aspirer hors de vos peaux
Si sombres, si molles et si suaves
Si morbides, comme disent les Italiens.

Quel parfum rare, puissant, plein de réminiscences
Monte de votre chute à travers les étapes du déclin :
Jaillissement dans le jaillissement.

Quelque chose du parfum du muscat de Syracuse
Ou du vulgaire Marsala.
Quoique même le mot Marsala a un petit goût précieux
Dans notre Ouest timoré.

Qu'est-ce que c'est ?
Qu'est-ce qui, dans le raisin devenant raisin sec,
Dans la nèfle, dans la sorbe,
Outres à vins d'une morbidité sombre,
Excrément automnal,
Qu'est-ce qui, dans tout cela, nous rappelle les dieux blancs ?

Des dieux nus comme des cœurs d'amandes
Etrangement, presque sinistrement d'une odeur charnelle
Comme mêlée de sueur
Et ruisselante de mystère.

Sorb-apples, medlars with dead crowns.
I say, wonderful are the hellish experiences,
Orphic, delicate
Dionysos of the Underworld.

A kiss, and a spasm of farewell, a moment's orgasm of rupture,
Then along the damp road alone, till the next turning,
And there, a new partner, a new parting, a new unfusing into
twain,
A new gasp of further isolation,
A new intoxication of loneliness, among decaying, frost-cold
leaves.

Going down the strange lanes of hell, more and more intensely
alone,
The fibres of the heart parting one after the other
And yet the soul continuing, naked-footed, ever more vividly
embodied
Like a flame blown whiter and whiter
In a deeper and deeper darkness
Ever more exquisite, distilled in separation.

So, in the strange retorts of medlars and sorb-apples
The distilled essence of hell.
The exquisite odour of leave taking.
        Jamque vale !
Orpheus, and the winding, leaf-clogged, silent lanes of hell.

Each soul departing with its own isolation,
Strangest of all strange companions,
And best.

Sorbes, nèfles à couronnes mortes.
Je dis, merveilleuses sont les expériences infernales,
Orphique, précieux
Dionysos du monde d'En-bas.

Un baiser et un spasme d'adieu, l'orgasme du moment de la
        séparation,
Puis, de nouveau seul sur la route mouillée, jusqu'au
        prochain tournant.
Et puis un nouveau partenaire, un nouveau départ, une
        nouvelle de-fusion en deux
Un nouveau sursaut d'isolement encore,
Une nouvelle intoxication de solitude, parmi les pourris-
        santes feuilles gelées.

Descendant les ruelles étranges de l'enfer, de plus en plus
        intensément seul,
Les fibres du cœur se détachant l'une après l'autre
Pendant que l'âme continue, pieds nus, toujours plus
        vigoureusement incarnée
Comme une flamme de plus en plus blanche,
Dans des ténèbres de plus en plus sombres,
Toujours plus exquise, distillée à l'écart.

Ainsi dans les étranges cornues des nèfles et des sorbes
L'essence distillée de l'enfer.
L'odeur exquise des adieux.
        Jamque vale !
Orphée et les tortueuses, touffues, silencieuses ruelles de
        l'enfer.

Chaque âme s'éloignant avec sa propre solitude,
La plus étrange de toutes les étranges compagnes
Et la meilleure.

Medlars, sorb-apples,
More than sweet
Flux of autumn
Sucked out of your empty bladders

And sipped down, perhaps, with a sip of Marsala
So that the rambling, sky-dropped grape can add its savour to
    yours,
Orphic farewell, and farewell, and farewell
And the ego sum *of Dionysos*
The sono io *of perfect drunkenness*
Intoxication of final loneliness.

Néfliers, sorbiers,
Plus que douce
Sève de l'automne,
Puisée hors de vos gousses vides

Et sirotées peut-être avec un peu de Marsala
Pour que la vigne grimpante qui tombe du ciel puisse ajouter
       sa saveur aux vôtres,
Orphiques adieux, et adieux, adieux
Et l'*ego sum* de Dionysos
Le *sono io* de la parfaite ivresse
Griserie de la solitude finale.

San Gervasio

CYPRESSES

Tuscan cypresses,
What is it ?

Folded in like a dark thought,
For which the language is lost,
Tuscan cypresses,
Is there a great secret ?
Are our words no good ?

The undeliverable secret,
Dead with a dead race and a dead speech, and yet
Darkly monumental in you,
Etruscan cypresses.

Ah, how I admire your fidelity,
Dark cypresses !

Is it the secret of the long-nosed Etruscans ?
The long-nosed, sensitive-footed, subtly-smiling Etruscans,
Who made so little noise outside the cypress groves ?

Among the sinuous, flame-tall cypresses
That swayed their length of darkness all around
Etruscan-dusky, wavering men of old Etruria :
Naked except for fanciful long shoes,

CYPRÈS

Cyprès toscans,
Qu'est-ce que c'est ?

Repliés comme une sombre pensée,
Pour laquelle le langage est perdu,
Cyprès toscans,
Y a-t-il un grand secret ?
Nos mots sont-ils insuffisants ?

Le secret qu'on ne peut livrer,
Mort avec une race morte, un langage mort,
Pourtant si sombrement monumental en vous,
Cyprès étrusques.

Ah comme j'admire votre fidélité,
Cyprès sombres !

Est-ce le secret des Etrusques aux longs nez ?
Les Etrusques aux longs nez, aux pieds délicats, au sourire
        subtil,
Qui firent si peu de bruit hors des forêts de cyprès ?

Parmi les cyprès sinueux, hauts comme des flammes
Qui balançaient leur hauteur sombre tout autour
Etrusques sombres, hommes indécis de la vieille Etrurie :
Nus, à part des chaussures pointues, fantasques

Going with insidious, half-smiling quietness
And some of Africa's imperturbable sang-froid
About a forgotten business.

What business, then ?
Nay, tongues are dead, and words are hollow as hollow
        seed-pods,
Having shed their sound and finished all their echoing
Etruscan syllables,
That had the telling.

Yet more I see you darkly concentrate,
Tuscan cypresses,
On one old thought :
On one old slim imperishable thought, while you remain
Etruscan cypresses ;
Dusky, slim marrow-thought of slender, flickering men of
        Etruria,
Whom Rome called vicious.

Vicious, dark cypresses :
Vicious, you supple, brooding, softly-swaying pillars of dark
        flame.
Monumental to a dead, dead race
Embowered in you !

Were they then vicious, the slender, tender-footed
Long-nosed men of Etruria ?
Or was their way only evasive and different, dark, like
        cypress-trees in a wind ?

They are dead, with all their vices,
And all that is left
Is the shadowy monomania of some cypresses
And tombs.

Allant avec une insidieuse tranquillité mi-souriante
Et avec un peu de ce sang-froid imperturbable de l'Afrique
A leurs affaires oubliées.

Quelles affaires, alors ?
Non, les langues sont mortes, et les mots sont aussi creux que
        des cosses vides,
D'avoir répandu leurs voix et perdu toutes les sonores
Syllabes étrusques
Celles qui avaient force de parole.

Pourtant je vous vois encore sombrement concentrés,
Cyprès toscans,
Sur une ancienne pensée :
Sur une vieille, mince et impérissable pensée, vous qui
        demeurez
Cyprès étrusques ;
Obscure, mince moelle de pensée des hommes élancés et
        vacillants de l'Etrurie
Que Rome appelait vicieux.

Vicieux, noirs cyprès ;
Vicieux, vous souples, songeurs piliers doucement oscillants
        de la flamme sombre
Monuments d'une race, d'une race morte
Abritée en vous !

Etaient-ils vicieux ces hommes élancés d'Etrurie
Aux longs nez, aux pieds sensibles ?
Ou leurs manières étaient-elles évasives et différentes,
        sombres comme les cyprès dans le vent ?

Ils sont morts avec tous leurs vices,
Et tout ce qui demeure
Est l'ombreuse monomanie de quelques cyprès
Et des tombes.

The smile, the subtle Etruscan smile still lurking
Within the tombs,
Etruscan cypresses.

He laughs longest who laughs last ;
Nay, Leonardo only bungled the pure Etruscan smile.

What would I not give
To bring back the rare and orchid-like
Evil-yclept Etruscan ?
For as to the evil
We have only Roman word for it,
Which I, being a little weary of Roman virtue,
Don't hang much weight on.

For oh, I know, in the dust where we have buried
The silenced races and all their abominations,
We have buried so much of the delicate magic of life.

There in the deeps
That churn the frankincense and ooze the myrrh,
Cypress shadowy,
Such an aroma of lost human life !

They say the fit survive,
But I invoke the spirits of the lost.
Those that have not survived, the darkly lost,
To bring their meaning back into life again,
Which they have taken away
And wrapt inviolable in soft cypress-trees,
Etruscan cypresses.

Le sourire, le subtil sourire étrusque
Rôdant encore dans les tombes,
Cyprès étrusques.

Rit le plus longtemps qui rit le dernier ;
Non, Leonardo n'a fait que gâcher le pur sourire étrusque.

Que ne donnerais-je
Pour ramener l'Etrusque
Rare et telle une orchidée, dit diabolique ?
Car pour ce qui est de sa nature diabolique
Il ne subsiste que des racontars romains,
Auxquels personnellement, étant un peu las des vertus
        romaines,
Je n'attache pas beaucoup de poids.

Car, ô, je sais, que dans cette poussière où nous avons enterré
Les races réduites au silence et toutes leurs abominations,
Nous avons enterré tant de la délicate magie de la vie.

Là-bas dans les profondeurs
Qui barattent l'encens et distillent la myrrhe,
Cyprès ombreux,
Un tel arôme de vie humaine perdue !

On dit que le plus fort survit,
Mais moi j'invoque les esprits de ceux qui sont perdus.
Ceux qui n'ont pas survécu, les sombrement perdus,
Pour ramener leurs significations de nouveau à la vie,
Celles qu'ils ont emportées avec eux,
Et enveloppées, inviolables dans les tendres cyprès,
Cyprès étrusques.

Evil, what is evil ?
There is only one evil, to deny life
As Rome denied Etruria
And mechanical America Montezuma still.

Le mal, qu'est-ce que le mal ?
Il y a un seul mal, celui qui renie la vie
Comme Rome renia l'Etrurie
Et comme là mécanique Amérique, maintenant encore renie
    Montezuma.

Fiésole

ALMOND BLOSSOM

Even iron can put forth,
Even iron.

This is the iron age,
But let us take heart
Seeing iron break and bud,
Seeing rusty iron puff with clouds of blossom.

The almond-tree,
December's bare iron hooks sticking out of earth.

The almond-tree,
That knows the deadliest poison, like a snake
In supreme bitterness.

Upon the iron, and upon the steel,
Odd flakes as if of snow, odd bits of snow,
Odd crumbs of melting snow.

But you mistake, it is not from the sky ;
From out the iron, and from out the steel,
Flying not down from heaven, but storming up,
Strange storming up from the dense under-earth
Along the iron, to the living steel
In rose-hot tips, and flakes of rose-pale snow
Setting supreme annunciation to the world.

FLEUR D'AMANDIER

Même le fer peut engendrer,
Même le fer.

Nous sommes à l'âge du fer,
Mais reprenons courage
Voyez le fer se rompre et bourgeonner,
Le fer rouillé s'enfler de nuages de fleurs.

L'amandier,
Aux crampons de fer nu de décembre saillant hors de la terre.

L'amandier,
Qui connaît le plus mortel poison, comme un serpent
En suprême amertume.

Sur le fer et sur l'acier,
Rares flocons comme de la neige, rares brins de neige,
Rares miettes de neige fondante.

Mais vous vous trompez, cela ne vient pas du ciel ;
Cela sort du fer, cela sort de l'acier,
Cela ne tombe pas du ciel, mais jaillit,
Etrange jaillissement des densités souterraines
Le long du fer vers l'acier vivant
En pointes rose-feu, et flocons de neige rose-pâle
Livrant une suprême annonciation au monde.

Nay, what a heart of delicate super-faith,
Iron-breaking,
The rusty swords of almond-trees.

Trees suffer, like races, down the long ages.
They wander and are exiled, they live in exile through long ages
Like drawn blades never sheathed, hacked and gone black,
The alien trees in alien lands : and yet
The heart of blossom,
The unquenchable heart of blossom !

Look at the many-cicatrised frail vine, none more scarred and
        frail,
Yet see him fling himself abroad in fresh abandon
From the small wound-stump.

Even the wilful, obstinate, gummy fig-tree
Can be kept down, but he'll burst like a polyp into prolixity.

And the almond-tree, in exile, in the iron age !

This is the ancient southern earth whence the vases were baked,
        amphoras, craters, cantharus, œnochœ, and open-hearted
        cylix,
Bristling now with the iron of almond-trees

Iron, but unforgotten.
Iron, dawn-hearted,
Ever-beating, dawn-heart, enveloped in iron against the exile,
        against the ages.

Quel élan de foi puissante et subtile,
Brisant le fer,
Les épées rouillées des amandiers.

Les arbres souffrent, comme les races au long des âges.
Ils errent et sont exilés, ils vivent en exil à travers les âges
Comme des lames tirées, jamais rengainées, ébréchées et
      noires,
Les arbres étrangers en pays étranger ; et pourtant
Le cœur de la fleur,
L'inextinguible cœur de la fleur !

Regarde la vigne frêle aux multiples cicatrices, nul n'est plus
      frêle et balafré,
Pourtant voilà qu'elle s'élance du moignon blessé, s'offrant à
      de nouveaux espaces.

Même le figuier gommeux, obstiné, opiniâtre
On peut le maîtriser, mais il va éclater en touffes comme un
      polypier.

Et l'amandier en exil dans l'âge de fer !

C'est ici l'antique terre du sud dont on a cuit des vases, des
      amphores, des coupes, des canthares, des œnochoé et
      des cylix au cœur ouvert,
Maintenant hérissée du fer des amandiers

Fer mais inoublié
Fer au cœur d'aurore,
Cœur d'aurore toujours battant enveloppé dans du fer contre
      l'exil, contre les âges.

See it come forth in blossom
From the snow-remembering heart
In long-nighted January,
In the long dark nights of the evening star, and Sirius, and the
*   Etna snow-wind through the long night.*
Sweating his drops of blood through the long-nighted
*   Gethsemane*
Into blossom, into pride, into honey-triumph, into most exquisite
*   splendour.*
Oh, give me the tree of life in blossom
And the Cross sprouting its superb and fearless flowers !

Something must be reassuring to the almond, in the evening star,
*   and the snow-wind, and the long, long nights,*
Some memory of far, sun-gentler lands,
So that the faith in his heart smiles again
And his blood ripples with that untellable delight of once-more-
*   vindicated faith,*
And the Gethsemane blood at the iron pores unfolds, unfolds,
Pearls itself into tenderness of bud
And in a great and sacred forthcoming steps-forth, steps out in one
*   stride*
A naked tree of blossom, like a bridegroom bathing in dew,
*   divested of cover,*
Frail-naked, utterly uncovered
To the green night-baying of the dog-star, Etna's snow-edged
*   wind*
And January's loud-seeming sun.

Think of it, from the iron fastness
Suddenly to dare to come out naked, in perfection of blossom,
*   beyond the sword-rust.*
Think, to stand there in full-unfolded nudity, smiling,

Vois comme il sort ses fleurs
Du cœur qui se souvient de la neige
En janvier aux longues nuits,
Dans les longues, sombres nuits de l'étoile du soir et de Sirius
et du vent de neige de l'Etna à travers la longue nuit.
Suant ses gouttes de sang à travers Gethsémani à la longue
nuit
En fleur, en fierté, en triomphe de miel, en une splendeur
suprêmement exquise.
Ô, donnez-moi l'arbre de vie en fleur
Et la croix poussant ses fleurs superbes et sans peur !

Quelque chose doit être rassurant pour l'amande, dans
l'étoile du soir et la tempête de neige, et les longues
longues nuits,
Quelque souvenir de pays lointains plus généreux du soleil,
De sorte que la foi en son cœur sourit à nouveau
Et son sang frémit du délice indicible de la foi à nouveau
justifiée,
Et le sang de Gethsémani se déploie dans les pores de fer, se
déploie,
Pures perles dans la tendresse du bourgeon
Et dans un grand élan sacré surgit d'un seul bond
Un arbre nu de fleurs, comme un fiancé qui se baigne dans la
rosée, dépouillé de son enveloppe,
Nu frêle, totalement découvert
Sous le vert aboiement nocturne de l'étoile du Chien, le vent
de l'Etna affûté de neige
Et le soleil de janvier qui fait beaucoup de bruit pour rien.

Pense à ceci, oser surgir soudain tout nu
De la fermeté du fer, dans la perfection de la fleur, au-delà de
la rouille de l'épée.
Pense, être là debout, dans la nudité grand'ouverte, souriant,

With all the snow-wind, and the sun-glare, and the dog-star
    baying epithalamion.

Oh, honey-bodied beautiful one
Come forth from iron,
Red your heart is.
Fragile-tender, fragile-tender life-body,
More fearless than iron all the time,
And so much prouder, so disdainful of reluctances.

In the distance like hoar-frost, like silvery ghosts communing on a
    green hill,
Hoar-frost-like and mysterious.
In the garden raying out
With a body like spray, dawn-tender, and looking about
With such insuperable, subtly-smiling assurance,
Sword-blade born.

Unpromised,
No bounds being set.
Flaked out and come unpromised.
The tree being life-divine,
Fearing nothing, life-blissful at the core
Within iron and earth.

Knots of pink, fish-silvery
In heaven, in blue, blue heaven,
Soundless, bliss-full, wide-rayed, honey-bodied,
Red at the core,
Red at the core,
Knotted in heaven upon the fine light

Open,
Open,
Five times wide open,

Au milieu du vent glacé et l'éclat du soleil, et l'étoile du
    Chien aboyant l'épithalame.

Ô, beau corps de miel
Surgi du fer,
Rouge est ton cœur.
Tendre-fragile, tendre-fragile corps vif,
A tout moment plus intrépide que le fer,
Et tellement plus fier, dédaigneux de se préserver.

Dans le lointain, tel le givre, tels des esprits argentés
        s'entretenant sur une verte colline,
Semblable au givre et mystérieux.
Dans le jardin irradiant
Avec un corps vaporeux, tendre comme l'aurore et regardant
Avec tant d'irrésistible et souriante assurance,
Né de la lame d'une épée.

Non-promis,
Sans limites établies.
Ecaillé et non-promis,
L'arbre étant vie divine,
Sans peur, vive félicité au cœur
Dans le fer et la terre.

Nœuds de rose, argent de poisson
Dans le ciel, dans le bleu, bleu ciel,
Insonore, bienheureux, radié, corps de miel,
Rouge au cœur,
Rouge au cœur,
Noué au ciel sous la belle lumière

Ouvert,
Ouvert,
Cinq fois grand-ouvert,

Six times wide open,
And given, and perfect ;
And red at the core with the last sore-heartedness,
Sore-hearted-looking.

Six fois grand-ouvert,
Et donné, et parfait ;
Et rouge au cœur avec le dernier chagrin,
Cœur brisé en apparence.

Fontana Vecchia

ST MATTHEW

They are not all beasts.
One is a man, for example, and one is a bird.

I, Matthew, am a man.

« And I, if I be lifted up, will draw all men unto me » —

That is Jesus.
But then Jesus was not quite a man.
He was the Son of Man
Filius Meus, O remorseless logic
Out of His own mouth.

I, Matthew, being a man
Cannot be lifted up, the Paraclete
To draw all men unto me,
Seeing I am on a par with all men.

I, on the other hand,
Am drawn to the Uplifted, as all men are drawn,
To the Son of Man
Filius Meus.

Wilt Thou lift me up, Son of Man ?
How my heart beats !
I am man.

SAINT MATTHIEU

Tous ne sont pas des bêtes.
L'un est un homme, par exemple, un autre un oiseau.

Moi, Matthieu, je suis un homme.

« Et moi, une fois haussé de terre, j'attirerai tous les hommes
        à moi. » —

Ça c'est Jésus.
Mais c'est que Jésus n'était pas tout à fait un homme.
Il était le Fils de l'Homme
Filius meus, Ô logique impitoyable
Issue de Sa propre bouche.

Moi, Matthieu, étant un homme
Ne puis être haussé, tel le Paraclet
Pour tirer tous les hommes à moi,
Etant un homme comme les autres.

Moi d'autre part,
Je suis attiré par le Haussé, comme tous les hommes le sont,
Vers le Fils de l'Homme
Filius Meus.

Me hausseras-tu, Fils de l'Homme ?
Comme mon cœur bat !
Je suis homme.

I am man, and therefore my heart beats, and throws the dark
     blood from side to side
All the time I am lifted up.
Yes, even during my uplifting.

And if it ceased ?
If it ceased, I should be no longer man
As I am, if my heart in uplifting ceased to beat, to toss the dark
     blood from side to side, causing my myriad secret streams.
After the cessation
I might be a soul in bliss, an angel, approximating to the
     Uplifted ;
But that is another matter ;
I am Matthew, the man,
And I am not that other angelic matter.

So I will be lifted up, Saviour,
But put me down again in time, Master,
Before my heart stops beating, and I become what I am not.
Put me down again on the earth, Jesus, on the brown soil
Where flowers sprout in the acrid humus, and fade into humus
     again.
Where beasts drop their unlicked young, and pasture, and drop
     their droppings among the turf.
Where the adder darts horizontal.
Down on the damp, unceasing ground, where my feet belong
And even my heart, Lord, forever, after all uplifting :
The crumbling, damp, fresh land, life horizontal and ceaseless.

Je suis homme et c'est pourquoi mon cœur bat, et lance le
  sang sombre d'un bord à l'autre
Tout le temps que je suis haussé.
Oui, même durant mon élévation.

Et si cela cessait ?
Si cela cessait, je ne serais plus homme
Comme je le suis, si mon cœur dans l'élévation s'arrêtait de
  battre, de jeter mon sang sombre d'un bord à l'autre,
  produisant mes innombrables courants secrets.
Après l'arrêt
Je pourrais être une âme bienheureuse, un ange approchant
  le Haussé ;
Mais ceci est une autre affaire ;
Je suis Matthieu, l'homme,
Et pas cette autre chose angélique.

Ainsi je serai haussé, Sauveur,
Mais redescends-moi à temps, Maître,
Avant que mon cœur n'arrête de battre, et que je devienne ce
  que je ne suis pas.
Redescends-moi sur terre, Jésus, sur le sol brun
Où les fleurs poussent dans l'humus âcre et retournent à
  l'humus
Où les bêtes mettent bas leurs petits non léchés et paissent et
  lâchent leur fiente dans l'herbe.
Où la vipère s'élance, horizontale.
En bas sur le sol humide, continu, auquel appartiennent mes
  pieds,
Et même mon cœur, Seigneur, à jamais, après toute
  élévation :
La terre friable, humide, fraîche, la vie horizontale et
  continue.

Matthew I am, the man.
And I take the wings of the morning, to Thee, Crucified,
Glorified.
But while flowers club their petals at evening
And rabbits make pills among the short grass
And long snakes quickly glide into the dark hole in the wall
hearing man approach,
I must be put down, Lord, in the afternoon,
And at evening I must leave off my wings of the spirit
As I leave off my braces,
And I must resume my nakedness like a fish, sinking down the
dark reversion of night
Like a fish seeking the bottom, Jesus.
ΙΧΘΥΣ
Face downwards
Veering slowly
Down between the steep slopes of darkness, fucus-dark,
seaweed-fringed valleys of the waters under the sea.

Over the edge of the soundless cataract
Into the fathomless, bottomless pit
Where my soul falls in the last throes of bottomless convulsion,
and is fallen
Utterly beyond Thee, Dove of the Spirit ;
Beyond everything, except itself.

Nay, Son of Man, I have been lifted up.
To Thee I rose like a rocket ending in mid-heaven.
But even Thou, Son of Man, canst not quaff out the dregs of
terrestrial manhood !
They fall back from Thee.

They fall back, and like a dripping of quicksilver taking the
downward track,
Break into drops, burn into drops of blood, and dropping,
dropping take wing

Je suis Matthieu, l'homme.
Et je prends les ailes du matin, vers Toi, Crucifié, Glorifié.
Mais quand les fleurs rassemblent leurs pétales le soir
Et que les lapins font leurs billes dans l'herbe rase
Et que les longs serpents se glissent vivement dans les trous
        sombres du mur à l'approche de l'homme,
Je dois être redescendu, Seigneur, dans l'après-midi,
Et le soir je dois quitter mes ailes de l'esprit
Comme je quitte mes bretelles,
Et je dois reprendre ma nudité de poisson, plongeant vers les
        profondeurs sombres de la nuit
Comme le poisson cherchant le fond, Jésus,
ΙΧΘΥΣ
Face vers le bas
Virant lentement
Vers le bas entre les pentes raides des ténèbres, noires de
        fucus, vallées bordées d'algues des eaux sous la mer.

Sur le bord de la cataracte silencieuse
Vers la fosse sans fond, insondable
Où mon âme tombe dans les affres d'une convulsion sans
        fond, est tombée
Tout à fait au-delà de Toi, Colombe de l'Esprit ;
Au-delà de toute chose, fors elle-même.

Oui, Fils de l'Homme, j'ai été haussé.
Vers Toi je suis monté comme une fusée finissant à mi-ciel.
Mais même Toi, Fils de l'Homme, tu ne peux avaler la lie de
        la terrestre nature humaine !
Elle retombe de Toi.

Elle retombe et tel l'égouttement du vif-argent qui dévale les
        pistes,
Se rompt en gouttes, se consume en gouttes de sang, et
        s'égouttant, s'égouttant, s'envole

Membraned, blood-veined wings.
On fans of unsuspected tissue, like bats
They thread and thrill and flicker ever downward
To the dark zenith of Thine antipodes
Jesus Uplifted.

Bat-winged heart of man,
Reversed flame
Shuddering a strange way down the bottomless pit
To the great depth of its reversed zenith.

Afterwards, afterwards
Morning comes, and I shake the dews of night from the wings of
    my spirit
And mount like a lark, Beloved.

But remember, Saviour,
That my heart which like a lark at heaven's gate singing, hovers
    morning-bright to Thee,
Throws still the dark blood back and forth
In the avenues where the bat hangs sleeping, upside-down
And to me undeniable, Jesus.

Listen, Paraclete.
I can no more deny the bat-wings of my fathom-flickering spirit of
    darkness
Than the wings of the Morning and Thee, Thou Glorified.

I am Matthew, the Man :
It is understood.
And Thou art Jesus, Son of Man
Drawing all men unto Thee, but bound to release them when the
    hour strikes.

Aile membraneuse veinée de sang.
Sur des éventails de tissu impalpable, comme des chauve-
souris
Elle file, tressaille et vacille toujours vers le bas
Jusqu'au noir zénith de Tes antipodes
Jésus haussé.

Cœur de l'homme aux ailes de chauve-souris,
Flamme inversée
Frémissante le long d'un chemin étrange vers la fosse sans
fond
Jusqu'aux profondeurs immenses de son zénith inversé.

Après, après
Le matin vient, et je secoue la rosée de la nuit des ailes de
mon esprit
Et monte comme une alouette, Bien-Aimé.

Mais souviens-toi, Sauveur,
Que si mon cœur, matin lumineux, comme une alouette
chantant à la porte du ciel, plane vers Toi,
Il lance encore le sang sombre, de ci de là,
Dans les avenues où la chauve-souris dort suspendue la tête
en bas
Et cela pour moi est indéniable, Jésus.

Ecoute, Paraclet.
Je ne peux pas plus nier les ailes de chauve-souris, vacillant
dans les fonds de mon esprit de ténèbres,
Que les ailes du matin et Toi, Toi Glorifié.

Je suis Matthieu, l'homme :
Chacun le sait.
Et Toi tu es Jésus, Fils de l'Homme
Attirant tous les hommes à Toi, mais tenu de les lâcher quand
l'heure frappera.

I have been, and I have returned.
I have mounted up on the wings of the morning, and I have
    dredged down to the zenith's reversal.
Which is my way, being man.
God may stay in mid-heaven, the Son of Man has climbed to the
    Whitsun zenith,
But I, Matthew, being a man
Am a traveller back and forth.

So be it.

Je suis parti, je suis revenu.
Je suis monté sur les ailes du matin et j'ai dragué les fonds
       jusqu'au zénith opposé.
Etant un homme, c'est mon chemin.
Dieu peut rester à mi-ciel, le Fils de l'Homme est monté
       jusqu'au zénith de Pentecôte,
Mais moi, Matthieu, étant un homme
Je suis un voyageur qui va et vient.

Ainsi soit-il.

ST LUKE

A wall, a bastion,
A living forehead with its slow whorl of hair
And a bull's large, sombre, glancing eye
And glistening, adhesive muzzle
With cavernous nostrils where the winds run hot
Snorting defiance
Or greedily snuffling behind the cows.

Horns,
The golden horns of power,
Power to kill, power to create
Such as Moses had, and God,
Head-power.

Shall great wings flame from his shoulder sockets
Assyrian-wise ?
It would be no wonder.

Knowing the thunder of his heart,
The massive thunder of his dew-lapped chest
Deep and reverberating,
It would be no wonder if great wings, like flames, fanned out
*   from the furnace-cracks of his shoulder-sockets.*

Thud ! Thud ! Thud !
And the roar of black bull's blood in the mighty passages of his
*   chest.*

SAINT LUC

Un mur, un bastion,
Un front vivant avec une lente boucle de poils
De grands yeux de taureau, sombres, étincelants,
Un mufle luisant, gluant
Aux naseaux caverneux où circulent des vents chauds
Soufflant la méfiance
Ou reniflant avec avidité derrière les vaches.

Cornes,
Les cornes d'or de la puissance,
Puissance de tuer, puissance de créer,
Comme Moïse en possédait, et Dieu,
Puissance de tête.

De grandes ailes flamberont-elles aux attaches des épaules
A la manière des assyriens ?
Ce ne serait pas étonnant.

Connaissant le tonnerre de son cœur,
Le tonnerre massif de son poitrail à fanon
Profond et résonnant,
Ce ne serait pas étonnant, si de grandes ailes, comme des
       flammes, jaillissaient du brasier des épaules.

Baoum ! Baoum ! Baoum !
Le rugissement du sang dans les larges couloirs du poitrail du
       taureau noir.

Ah, the dewlap swings pendulous with excess.
The great, roaring weight above
Like a furnace dripping a molten drip
The urge, the massive, burning ache
Of the bull's breast.
The open furnace-doors of his nostrils.

For what does he ache, and groan ?

Is his breast a wall ?
Nay, once it was also a fortress wall, and the weight of a vast
    battery.
But now it is a burning hearthstone only,
Massive old altar of his own burnt offering.

It was always an altar of burnt offering
His own black blood poured out like a sheet of flame over his
    fecundating herd
As he gave himself forth.
But also it was a fiery fortress frowning shaggily on the world
And announcing battle ready.

Since the Lamb bewitched him with that red-struck flag
His fortress is dismantled
His fires of wrath are banked down
His horns, turn away from the enemy.

He serves the Son of Man.

And hear him bellow, after many years, the bull that serves the
    Son of Man.

Et le fanon pendant qui se balance amplement.
Le grand poids rugissant au-dessus
Telle une fournaise crachant la fonte liquide
La douleur massive, brûlante, la pulsion
Du poitrail du taureau.
Les portes de la fournaise ouvertes de ses naseaux.

Pourquoi souffre-t-il ? gémit-il ?

Son poitrail est-il un mur ?
Non, autrefois ce fut aussi un mur de forteresse, et le poids
   d'une lourde batterie.
Mais maintenant c'est seulement une pierre brûlante du
   foyer,
Vieil autel massif de son propre holocauste.

Ce fut toujours un autel d'holocauste
Son propre sang noir répandu comme une nappe de feu sur
   un troupeau à féconder
Tandis qu'il se donnait.
Mais aussi forteresse invincible, hirsute et menaçante
   au-dessus du monde
Annonçant la bataille imminente.

Depuis que l'Agneau l'ensorcela avec son étendard frappé de
   rouge
Sa forteresse est démantelée
Les feux de sa rage sont recouverts
Ses cornes se détournent de l'ennemi.

Il sert le Fils de l'Homme.

Ecoutez-le mugir, après tant d'années, le taureau qui sert
   le Fils de l'Homme.

Moaning, booing, roaring hollow
Constrained to pour forth all his fire down the narrow sluice of
  procreation
Through such narrow loins, too narrow.
Is he not over-charged by the damned-up pressure of his own
  massive black blood
Luke, the Bull, the father of substance, the Providence Bull, after
  two thousand years ?
Is he not over-full of offering, a vast, vast offer of himself
Which must be poured through so small a vent ?

Too small a vent.

Let him remember his horns, then.
Seal up his forehead once more to a bastion,
Let it know nothing.
Let him charge like a mighty catapult on the red-cross flag, let him
  roar out challenge on the world
And throwing himself upon it, throw off the madness of his blood.
Let it be war.

And so it is war.
The bull of the proletariat has got his head down.

Grondant, meuglant, rugissant caverneux
Contraint de déverser tout son feu par la bonde étroite de la
      procréation
Au travers de reins si étroits, trop étroits.
N'est-il pas accablé par la pression contenue de son massif
      sang noir
Luc, le Taureau, le père de la substance, le Taureau de la
      Providence, après deux mille ans ?
N'est-il pas engorgé d'offrande, énorme, énorme don de
      lui-même
Au travers d'un passage si étroit ?

Passage trop étroit.

Alors, laissez-le se rappeler ses cornes.
Sceller de nouveau son front en bastion,
Qu'il ne sache plus rien.
Qu'il charge comme une catapulte géante le drapeau à croix
      rouge, qu'il rugisse son défi au monde
Et se jetant dessus, rejette la folie de son sang.
Que la guerre soit.

Ainsi c'est la guerre.
Le taureau du prolétariat fonce tête baissée.

HUMMING-BIRD

I can imagine, in some otherworld
Primeval-dumb, far back
In that most awful stillness, that only gasped and hummed,
Humming-birds raced down the avenues.

Before anything had a soul,
While life was a heave of Matter, half inanimate,
This little bit chipped off in brilliance
And went whizzing through the slow, vast, succulent stems.

I believe there were no flowers then,
In the world where the humming-bird flashed ahead of creation.
I believe he pierced the slow vegetable veins with his long beak.

Probably he was big
As mosses, and little lizards, they say, were once big.
Probably he was a jabbing, terrifying monster.

We look at him through the wrong end of the long telescope of
  Time,
Luckily for us.

L'OISEAU-MOUCHE

Je peux imaginer dans quelqu'autre monde
Primitif et muet, très lointain
Dans le plus affreux des silences qui seulement râlait et
      bourdonnait,
Des oiseaux-mouches dévalant les avenues.

Avant que quoique ce soit eût une âme,
Quand la vie était effort de la Matière, à demi-inerte,
Ce tout petit morceau de clarté se détacha
Et passa en sifflant à travers les tiges immenses, alanguies et
      succulentes.

Je crois qu'il n'y avait pas de fleurs alors,
Dans le monde où l'oiseau-mouche flamboya à l'aube de la
      création.
Je crois qu'il perça de son long bec les nervures végétales
      alanguies.

Probablement il était grand
Comme les mousses et les petits lézards, qui autrefois,
      dit-on, étaient grands.
Sans doute était-il un affreux monstre frappant du bec.

Nous le regardons par le mauvais bout de la lorgnette du
      Temps,
Heureusement pour nous.

Española

AUTUMN AT TAOS

Over the rounded sides of the Rockies, the aspens of autumn,
The aspens of autumn,
Like yellow hair of a tigress brindled with pines.

Down on my hearth-rug of desert, sage of the mesa,
An ash-grey pelt
Of wolf all hairy and level, a wolf's wild pelt.

Trot-trot to the mottled foot-hills, cedar-mottled and piñon ;
Did you ever see an otter ?
Silvery-sided, fish-fanged, fierce-faced, whiskered, mottled.

When I trot my little pony through the aspen-trees of the canyon,
Behold me trotting at ease betwixt the slopes of the golden
Great and glistening-feathered legs of the hawk of Horus ;
The golden hawk of Horus
Astride above me.

But under the pines
I go slowly
As under the hairy belly of a great black bear.

AUTOMNE À TAOS

Sur les flancs arrondis des Rocheuses, les trembles de
     l'automne,
Les trembles de l'automne,
Comme le poil jaune d'une tigresse tachetée de pins.

En bas sur ma carpette de désert, sauge du mesa,
Une peau gris cendre
De loup poilu, peau de loup sauvage.

Trotte-trotte vers les collines mouchetées de cèdres et de pins
     pignons ;
As-tu jamais vu une loutre ?
Flanc d'argent, croc de poisson, tête féroce, moustachue,
     mouchetée.

Quand je trotte sur mon petit poney à travers les trembles du
     canyon.
Regarde-moi trottant à l'aise entre les pentes des grandes,
Brillantes et duveteuses pattes dorées du faucon d'Horus ;
Le faucon doré d'Horus
A califourchon au-dessus de moi.

Mais sous les pins
Je flane
Comme sous le ventre poilu d'un gros ours noir.

Glad to emerge and look back
On the yellow, pointed aspen-trees laid one on another like
feathers,
Feather over feather on the breast of the great and golden
Hawk as I say of Horus.

Pleased to be out in the sage and the pine fish-dotted foot-hills,
Past the otter's whiskers,
On to the fur of the wolf-pelt that strews the plain.

And then to look back to the rounded sides of the squatting
Rockies,
Tigress brindled with aspen,
Jaguar-splashed, puma-yellow, leopard-livid slopes of America.

Make big eyes, little pony,
At all these skins of wild beasts ;
They won't hurt you.

Fangs and claws and talons and beaks and hawk-eyes
Are nerveless just now.
So be easy.

Heureux d'émerger et de regarder en arrière
Les jaunes trembles pointus couchés les uns sur les autres
      comme des plumes,
Plume par-dessus plume, sur la poitrine du grand et doré
Faucon, dis-je, d'Horus.

Heureux d'être dehors dans les collines mouchetées de sauge
      et de pins,
Au-delà des moustaches de la loutre,
Sur la fourrure de la peau de loup qui couvre la plaine.

Et alors de regarder en arrière les flancs ronds des Rocheuses
      accroupies,
Tigresse tachetée de trembles,
Jaguar-éclaboussé, jaune-puma, léopard-livide, pentes de
      l'Amérique.

Ouvre bien les yeux, petit poney,
Sur toutes ces peaux de bêtes sauvages ;
Elles ne te feront aucun mal.

Crocs et griffes et serres et becs et yeux de faucons
Sont sans cruauté pour le moment.
Alors sois tranquille.

Taos

WHATEVER MAN MAKES

Whatever man makes and makes it live
lives because of the life put into it.
A yard of India muslin is alive with Hindu life.
And a Navajo woman, weaving her rug in the pattern of her
          dream
must run the pattern out in a little break at the end
so that her soul can come out, back to her.

But in the odd pattern, like snake-marks on the sand
it leaves its trail.

TOUT CE QUE L'HOMME FAIT

Tout ce que l'homme fait et tout ce qu'il fait vivre
vit à cause de la vie qui est placée en lui.
Un *yard* de mousseline des Indes est vivant de la vie indienne.
Et une femme Navajo, tissant son tapis selon la forme de son
      rêve
doit à la fin rompre son dessin
pour que son âme s'échappe et lui revienne.

Mais dans l'étrange dessin, comme l'empreinte du serpent
      dans le sable
l'âme laisse sa trace.

ELEMENTAL

*Why don't people leave off being lovable
or thinking they are lovable, or wanting to be lovable,
and be a bit elemental instead ?*

*Since man is made up of the elements,
fire, and rain, and air, and live loam
and none of these is lovable
but elemental,
man is lop-sided on the side of the angels.*

*I wish men would get back their balance among the elements
and be a bit more fiery, as incapable of telling lies
       as fire is.*

*I wish they'd be true to their own variation, as water is,
which goes through all the stages of steam and stream and ice
without losing its head.*

*I am sick of lovable people,
somehow they are a lie.*

ÉLÉMENTAIRE

Pourquoi les gens ne cessent-ils pas d'être aimables
ou de penser qu'ils sont aimables et de vouloir être aimés,
pourquoi ne sont-ils pas un peu plus élémentaires ?

Puisque l'homme a été formé d'éléments
feu et pluie, air, et vive argile
et que rien de tout cela n'est aimable
mais élémentaire,
l'homme a basculé du côté des anges.

J'aimerais que les hommes retrouvent leur équilibre parmi les
        éléments
et soient un peu plus ardents, aussi incapables de mentir
        que le feu.

J'aimerais qu'ils soient fidèles à leurs propres changements,
        comme est l'eau
qui traverse tous les états, vapeur, torrent et glace,
sans perdre la tête.

Je suis fatigué des gens aimables
d'une manière ou d'une autre ils sont mensonge.

LIZARD

A lizard ran out on a rock and looked up, listening
no doubt to the sounding of the spheres.
And what a dandy fellow ! the right toss of a chin for you
and swirl of a tail !

If men were as much men as lizards are lizards
they'd be worth looking at.

LÉZARD

Un lézard courait sur un rocher, soudain il releva la tête
      écoutant
sans nul doute l'harmonie des sphères.
Quel dandy ! admirez le mouvement fier du menton
et l'arabesque de la queue !

Si les hommes étaient aussi hommes que les lézards sont
      lézards
ça vaudrait la peine qu'on les regarde.

GLADNESS OF DEATH

Oh death
about you I know nothing, nothing —
about the afterwards
as a matter of fact, we know nothing.

Yet oh death, oh death
also I know so much about you
the knowledge is within me, without being a matter of fact.

And so I know
after the painful, painful experience of dying
there comes an after-gladness, a strange joy
in a great adventure
oh the great adventure of death, where Thomas Cook cannot
*   guide us.*

I have always wanted to be as the flowers are
so unhampered in their living and dying,
and in death I believe I shall be as the flowers are.

I shall blossom like a dark pansy, and be delighted
there among the dark sun-rays of death.
I can feel myself unfolding in the dark sunshine of death
to something flowery and fulfilled, and with a strange sweet
*   perfume.*

L'ALLÉGRESSE DE LA MORT

Ô mort
de toi je ne sais rien, rien —
sur ce qui est après
en fait nous ne savons rien.

Pourtant mort, ô mort
j'en sais si long sur toi
le savoir est en moi sans y être un fait.

Ainsi je sais
qu'après la pénible, pénible expérience de mourir
vient l'allégresse d'après, la joie étrange
d'une grande aventure
ô la grande aventure de la mort, où Thomas Cook ne peut
        guère nous guider.

Toujours j'ai voulu être pareil aux fleurs
si libres de leur mouvement de vie et de mort
et je serai, je crois, dans la mort comme les fleurs.

Je fleurirai telle une sombre pensée, ravi
parmi les rayons noirs de la mort.
Je me sens m'ouvrir sous le soleil noir de la mort
en une chose accomplie et fleurie à l'étrange et doux parfum.

Men prevent one another from being men
but in the great spaces of death
the winds of the afterwards kiss us into blossom of manhood.

Les hommes s'empêchent l'un l'autre d'être des hommes
mais dans les grands espaces de la mort
sous les baisers des vents d'au-delà, s'ouvrent des fleurs
    viriles.

DEMIURGE

They say that reality exists only in the spirit
that corporal existence is a kind of death
that pure being is bodiless
that the idea of the form precedes the form substantial.

But what nonsense it is !
as if any Mind could have imagined a lobster
dozing in the under-deeps, then reaching out a savage and iron
      claw !

Even the mind of God can only imagine
those things that have become themselves :
bodies and presences, here and now, creatures with a foothold in
      creation
even if it is only a lobster on tip-toe.

Religion knows better than philosophy
Religion knows that Jesus never was Jesus
till he was born from a womb, and ate soup and bread
and grew up, and became, in the wonder of creation, Jesus,
with a body and with needs, and a lovely spirit.

DÉMIURGE

On dit que la réalité n'existe qu'en esprit
que l'existence corporelle est une sorte de mort
que l'être pur est sans corps
que l'idée de la forme précède la forme substantielle.

Mais quel non-sens !
comme s'il y avait un Esprit capable d'imaginer un homard
sommeillant dans les fonds, puis ouvrant une pince cruelle et
        acérée !

Même l'esprit de Dieu ne peut imaginer
que les choses qui sont devenues elles-mêmes :
corps et présences, ici et maintenant, créatures qui ont pied
        dans la création
même si ce n'est qu'un homard sur les pointes.

La Religion sait mieux que la philosophie
la Religion sait que Jésus n'était pas Jésus
avant d'être né d'un sein, d'avoir mangé du pain et de la
        soupe
et grandi, et d'être devenu dans la merveille de la création,
        Jésus,
avec un corps et avec des besoins, et un ravissant esprit.

THE WORK OF CREATION

The mystery of creation is the divine urge of creation,
but it is a great, strange urge, it is not a Mind.
Even an artist knows that his work was never in his mind,
he could never have thought it before it happened.
A strange ache possessed him, and he entered the struggle,
and out of the struggle with his material, in the spell of the urge
his work took place, it came to pass, it stood up and saluted his
*   mind.*

God is a great urge, wonderful, mysterious magnificent
but he knows nothing before-hand.
His urge takes shape in the flesh, and lo !
it is creation ! God looks himself on it in wonder, for the first
*   time.*
Lo ! there is a creature, formed ! How strange !
Let me think about it ! Let me form an idea !

LE TRAVAIL DE LA CRÉATION

Le mystère de la création, c'est l'urgence divine de la création,
mais c'est une grande et étrange urgence, ce n'est pas Oeuvre Mentale.
Même l'artiste sait que son travail n'a jamais été dans sa tête,
il n'aurait jamais pu le penser avant que ce ne soit arrivé.
Une étrange douleur le tenait et il est entré dans la bataille,
il en est sorti avec ses matériaux, dans l'envoûtement de l'urgence
son travail s'est fait, à point, s'est mis debout et a salué son esprit.

Dieu est une urgence énorme, merveilleuse, mystérieuse, magnifique
mais il ne sait rien à l'avance.
Son urgence prend forme dans la chair et allez !
c'est création ! Dieu s'y regarde émerveillé pour la première fois.
Allez ! Il y a là une créature de formée ! Comme c'est étrange !
Laissez-moi réfléchir là-dessus ! Laissez-moi former une idée !

RED GERANIUM AND GODLY MIGNONETTE

Imagine that any mind ever thought *a red geranium !*
As if the redness of a red geranium could be anything but a sensual
        experience
and as if sensual experience could take place before there were any
        senses.
We know that even God could not imagine the redness of a red
        geranium
nor the smell of mignonette
when geraniums were not, and mignonette neither.
And even when they were, even God would have to have a nose
to smell at the mignonette.
You can't imagine the Holy Ghost sniffing at cherry-pie
        heliotrope.
Or the Most High, during the coal age, cudgelling his mighty
        brains
even if he had any brains : straining his mighty mind
to think, among the moss and mud of lizards and mastodons
to think out, in the abstract, when all was twilit green and
        muddy :
« Now there shall be tum-tiddly-um, and tum-tiddly-um,
hey-presto ! scarlet geranium ! »
We know it couldn't be done.
But imagine, among the mud and the mastodons

GÉRANIUM ROUGE ET DIVIN RÉSÉDA

Imaginez qu'un esprit ait jamais pu *penser* un géranium
      rouge !
Comme si la rougeur d'un géranium rouge pouvait être autre
      chose qu'une expérience sensuelle
et comme si l'expérience sensuelle pouvait avoir eu lieu avant
      qu'il y ait des sens.
Nous savons que même Dieu ne pouvait imaginer
      la rougeur d'un rouge géranium
ni le parfum du réséda
quand les géraniums n'étaient pas, ni les résédas.
Et même quand ils furent, Dieu lui-même aurait dû avoir un
      nez
pour sentir le réséda.
Vous ne pouvez pas imaginer le Saint-Esprit reniflant un
      héliotrope tarte aux cerises.
Ou le Très-Haut à l'âge du carbone torturant sa puissante
      cervelle
à supposer qu'il en eût une : fatiguant son puissant esprit
à penser, parmi les mousses et la boue des lézards et des
      mastodontes
à concevoir dans l'abstrait quand tout était d'un vert
      glauque et boueux :
« Maintenant il va y avoir tra-la-la et tra-la-lère,
eh presto ! géranium écarlate ! »
Nous savons que ça ne pouvait se faire.
Mais imaginez dans la boue et les mastodontes

god sighing and yearning with tremendous creative yearning, in
that dark green mess
oh, for some other beauty, some other beauty
that blossomed at last, red geranium, and mignonette.

Dieu soupirant et pris d'un désir ardent, d'un
        terrible désir créateur, dans ce sombre fouillis vert
Ô, pour quelque beauté autre, pour quelqu'autre
        beauté
qui fleurissait enfin, géranium rouge, et réséda.

THE BODY OF GOD

God is the great urge that has not yet found a body
but urges towards incarnation with the great creative urge.

And becomes at last a clove carnation : lo ! that is god !
and becomes at last Helen, or Ninon : any lovely and generous
        woman
at her best and her most beautiful, being god, made manifest,
any clear and fearless man being god, very god.

There is no god
apart from poppies and the flying fish,
men singing songs, and women brushing their hair in the sun.
The lovely things are god that has come to pass, like Jesus came.
The rest, the undiscoverable, is the demi-urge.

LE CORPS DE DIEU

Dieu est une immense impulsion qui n'a pas encore trouvé de
      corps
mais pousse vers l'incarnation avec cette immense urgence de
      la création.

Et qui devient enfin un œillet : Voilà ! ça c'est dieu !
et qui devient enfin Hélène, ou Ninon : n'importe quelle
      femme plaisante et généreuse,
dans la plénitude de sa beauté, étant dieu manifesté,
n'importe quel homme vrai et sans peur étant dieu vraiment
      dieu.

il n'y a pas de dieu
en dehors des coquelicots et du poisson volant,
des hommes qui chantent, et des femmes qui brossent leurs
      cheveux dans le soleil.
Les belles choses sont dieu venu pour un temps, comme vint
      Jésus.
Le reste, l'introuvable c'est le démiurge.

THE RAINBOW

Even the rainbow has a body
made of the drizzling rain
and is an architecture of glistening atoms
built up, built up
yet you can't lay your hand on it,
nay, nor even your mind.

L'ARC-EN-CIEL

Même l'arc-en-ciel a un corps
fait de fine pluie
architecture d'atomes étincelants
construit, construit
bien que vous ne puissiez poser la main dessus
non, ni même votre esprit.

THE MAN OF TYRE

The man of Tyre went down to the sea
pondering, for he was a Greek, that God is one and all alone and
     ever more shall be so.
And a woman who had been washing clothes in the pool of rock
where a stream came down to the gravel of the sea and sank in,
who had spread white washing on the gravel banked above the
     bay,
who had lain her shift on the shore, on the shingle slope,
who had waded to the pale green sea of evening, out to a shoal,
pouring sea-water over herself
now turned, and came slowly back, with her back to the evening
     sky.

Oh lovely, lovely with the dark hair piled up, as she went deeper,
     deeper down the channel, then rose shallower, shallower,
with the full thighs slowly lifting of the wader wading shorewards
and the shoulders pallid with light from the silent sky behind
both breasts dim and mysterious, with the glamorous kindness of
     twilight between them
and the dim notch of black maidenhair like an indicator,
giving a message to the man —

L'HOMME DE TYR

L'homme de Tyr descendit vers la mer
pensant parce que Grec, que Dieu est un et unique et le sera
       éternellement.
Et une femme qui avait lavé ses vêtements dans le creux
       d'un rocher
là où la rivière descend vers le sable de la mer et s'y engloutit,
qui avait étendu le linge blanc sur le banc de sable,
qui avait couché sa robe sur le rivage, sur la pente de galets,
qui avait marché dans la pâle mer verte du soir, vers un haut
       fond
en faisant ruisseler l'eau sur son corps
se tourna et revint doucement, dos tourné au ciel du soir.

Ô ravissante, ravissante, avec ses cheveux relevés en chignon
       et qui s'enfonce de plus en plus profond dans le lit de
       la rivière, puis émerge, émerge,
avec ses cuisses pleines portant lentement hors de l'eau, la
       marcheuse vers le rivage,
la pâleur des épaules dans la paisible clarté du ciel,
et ses deux seins sombres et mystérieux avec entre eux une
       douce pénombre
et comme un signal, la brèche sombre de la toison noire,
portant un message à l'homme —

So in the cane-brake he clasped his hands in delight
that could only be god-given, and murmured :
Lo ! God is one god ! But here in the twilight
godly and lovely comes Aphrodite out of the sea
towards me !

Alors dans le fourré de jonc, il joignit les mains avec un
      ravissement
que seul un dieu peut faire naître et murmura
voyez ! Dieu est unique mais dans le crépuscule
divine et merveilleuse, voici Aphrodite, qui sort de la mer
et vient vers moi.

WHALES WEEP NOT !

They say the sea is cold, but the sea contains
the hottest blood of all, and the wildest, the most urgent.

All the whales in the wider deeps, hot are they, as they urge
on and on, and dive beneath the icebergs.
The right whales, the sperm-whales, the hammer-heads, the
      killers
there they blow, there they blow, hot wild white breath out of the
      sea !

And they rock, and they rock, through the sensual ageless ages
on the depths of the seven seas,
and through the salt they reel with drunk delight
and in the tropics tremble they with love
and roll with massive, strong desire, like gods.
Then the great bull lies up against his bride
in the blue deep bed of the sea.
as mountain pressing on mountain, in the zest of life :
and out of the inward roaring of the inner red ocean of whale
      blood
the long tip reaches strong, intense, like the maelstrom-tip, and
      comes to rest

BALEINES NE PLEUREZ PAS !

On dit que la mer est froide, mais la mer contient
le plus brûlant de tous les sangs, le plus sauvage, le plus
    pressant.

Toutes les baleines dans les vastes profondeurs sont chaudes
comme elles se pressent et plongent sous les icebergs.
Vraies baleines, baleines à spermaceti, baleines à tête
        d'enclume, tueuses,
les voilà qui soufflent ! Elles soufflent, souffle brûlant,
        sauvage et blanc jaillissant de la mer !

Et elles se balancent, se balancent à travers les âges sensuels,
        immémoriaux
dans les profondeurs des sept mers,
et à travers le sel elles tournoient ivres de délice
et aux tropiques elles frissonnent d'amour
et roulent leur massif et puissant désir comme des dieux.
Alors le grand mâle se couche contre sa fiancée
dans le profond lit bleu de la mer.
comme une montagne s'appuyant contre une montagne dans
        la verdeur de la vie :
et issue du mugissement profond du rouge océan du sang de
        baleine
la pointe longue arrive intense, puissante comme la pointe
        d'un maelstrom et s'apaise

in the clasp and the soft, wild clutch of a she-whale's fathomless
body.

And over the bridge of the whale's strong phallus, linking the
wonder of whales
the burning archangels under the sea keep passing, back and
forth,
keep passing archangels of bliss
from him to her, from her to him, great Cherubim
that wait on whales in mid-ocean, suspended in the waves of the
sea
great heaven of whales in the waters, old hierarchies.

And enormous mother whales lie dreaming suckling their
whale-tender young
and dreaming with strange whale eyes wide open in the waters of
the beginning and the end.

And bull-whales gather their women and whale-calves in a ring
when danger threatens, on the surface of the ceaseless flood
and range themselves like great fierce Seraphim facing the threat
encircling their huddled monsters of love.
and all this happiness in the sea, in the salt
where God is also love, but without words :
and Aphrodite is the wife of whales
most happy, happy she !

and Venus among the fishes skips and is a she-dolphin
she is the gay, delighted porpoise sporting with love and the sea
she is the female tunny-fish, round and happy among the males
and dense with happy blood, dark rainbow bliss in the sea.

dans le tendre et enserrant manchon sauvage du corps
        insondable de la baleine femelle.

Et au-dessus du pont du puissant phallus de la baleine,
        qui joint l'extase des baleines
les archanges brûlants sous la mer continuent de passer, vont
        et viennent
continuent de passer archanges de félicité
de lui à elle, d'elle à lui, grand Chérubin
qui garde les baleines au milieu de l'océan, suspendues dans
        les vagues de la mer
chœur céleste de baleines dans les eaux, antique hiérarchie.

Et d'énormes mères baleines rêvent couchées, allaitant les
        tendres baleineaux
et rêvent avec d'étranges yeux de baleines grands ouverts
        dans les eaux du commencement et de la fin.

Et les baleines mâles rassemblent en cercle leurs épouses et
        leurs baleineaux
quand menace le danger à la surface des flots sans fin
et se rangent comme de grands et farouches Séraphins face
        au danger
entourant d'amour leurs monstres entassés.
et tout ce bonheur dans la mer, dans le sel
où Dieu aussi est amour, mais sans mots :
et Aphrodite est l'épouse des baleines
heureuse, bien heureuse Aphrodite !

et Vénus bondit parmi les poissons et elle est un dauphin
        femelle,
elle est le gai, le joyeux marsouin folâtrant avec la mer et
        l'amour,
elle est le thon femelle, ronde et heureuse parmi les mâles
et pleine d'un sang joyeux, sombre et bienheureux arc-en-ciel
        dans la mer.

BUTTERFLY

Butterfly, the wind blows sea-ward, strong beyond the garden
     wall !
Butterfly, why do you settle on my shoe, and sip the dirt on my
     shoe,
Lifting your veined wings, lifting them ? big white butterfly !

Already it is October, and the wind blows strong to the sea
from the hills where snow must have fallen, the wind is polished
     with snow.
Here in the garden, with red geraniums, it is warm, it is warm
but the wind blows strong to sea-ward, white butterfly, content
     on my shoe !

Will you go, will you go from my warm house ?
Will you climb on your big soft wings, black-dotted,
as up an invisible rainbow, an arch
till the wind slides you sheer from the arch-crest
and in a strange level fluttering you go out to sea-ward, white
     speck !

Farewell, farewell, lost soul !
you have melted in the crystalline distance,
it is enough ! I saw you vanish into air.

PAPILLON

Papillon, le vent souffle vers la mer, souffle fort derrière le
      mur du jardin !
Papillon, pourquoi te poser sur mon soulier, pourquoi
      aspires-tu la saleté de mon soulier,
Soulevant tes ailes veinées, les soulevant ? gros papillon
      blanc !

C'est déjà octobre, le vent souffle fort vers la mer
des collines où la neige sans doute est tombée, vent
      poli par la neige.
Ici dans le jardin plein de géraniums rouges, il fait chaud, il
      fait chaud
mais le vent souffle fort vers la mer, papillon blanc à l'aise sur
      mon soulier !

Quitteras-tu, quitteras-tu ma maison chaude ?
Monteras-tu sur tes grandes ailes souples tachetées de noir,
comme sur un arc-en-ciel invisible, une voûte
jusqu'à ce que le vent te fasse glisser du sommet
et que dans un étrange volètement en palier tu partes vers la
      mer, atome blanc !

Adieu, adieu, âme perdue !
tu as fondu dans la distance cristalline,
c'est assez ! je t'ai vu disparaître dans l'air.

BAVARIAN GENTIANS

Not every man has gentians in his house
in Soft September, at slow, sad Michaelmas.

Bavarian gentians, big and dark, only dark
darkening the day-time, torch-like with the smoking blueness of
            Pluto's gloom,
ribbed and torch-like, with their blaze of darkness spread blue
down flattening into points, flattened under the sweep of white
            day
torch-flower of the blue-smoking darkness, Pluto's dark-blue
            daze,
black lamps from the halls of Dis, burning dark blue,
giving off darkness, blue darkness, as Demeter's pale lamps give
            off light,
lead me then, lead the way.

Reach me a gentian, give me a torch !
let me guide myself with the blue, forked torch of this flower
down the darker and darker stairs, where blue is darkened on
            blueness
even where Persephone goes, just now, from the frosted September
to the sightless realm where darkness is awake upon the dark
and Persephone herself is but a voice

GENTIANE DE BAVIÈRE

Tout le monde n'a pas de gentianes dans sa maison
au temps du Doux Septembre, à la triste et lente Saint
    Michel.

Gentianes de Bavière, grandes et sombres, rien que sombres
assombrissant le jour, torches bleues fumantes des ténèbres
       de Pluton,
nervurées et telles des torches avec leurs flammes bleues
       mangées d'ombres,
laminées en pointes, laminées sous la poussée du jour blanc
fleurs-torches de l'obscurité bleu-fumée, vertige bleu-
       sombre de Pluton,
lampes noires des corridors de Dis, brûlant bleu-sombre,
diffusant l'obscurité, l'obscurité bleue, comme les lampes
       pâles de Deméter diffusent la lumière,
conduisez-moi, montrez-moi le chemin.

Tends-moi une gentiane, donne-moi une torche
que je me dirige à l'aide de la torche fourchue et bleue de
       cette fleur
descendant les escaliers de plus en plus sombres, où le bleu
       s'assombrit dans le bleu
à cet endroit même où Perséphone marche en ce moment
       quittant le Septembre gelé
pour le royaume aveugle où l'obscurité s'éveille dans l'obscur
et où Perséphone elle-même n'est plus qu'une voix

or a darkness invisible enfolded in the deeper dark
of the arms Plutonic, and pierced with the passion of dense gloom,
among the splendour of torches of darkness, shedding darkness on
the lost bride and her groom.

ou une obscurité invisible enveloppée dans l'ombre plus
        profonde
des bras de Pluton, et pénétrée de la passion des ténèbres
        denses,
dans la splendeur des torches de l'obscur, couvrant d'ombre
        la mariée perdue et son époux.

SILENCE

Come, holy Silence, come
great bride of all creation.

Come, holy Silence ! reach, reach
from the presence of God, and envelop us.

Let the sea heave no more in sound,
hold the stars still, lest we hear the heavens dimly ring with their
          commotion !
fold up all sounds.

Lo ! the laugh of God !
Lo ! the laugh of the creator !
Lo ! the last of the seven great laughs of God !
Lo ! the last of the seven great laughs of creation !

Huge, huge roll the peals of the thundrous laugh
huge, huger, huger and huger pealing
till they mount and fill and all is fulfilled of God's last and
          greatest laugh
till all is soundless and senseless, a tremendous body of Silence
enveloping even the edges of the thought-waves,
enveloping even me, who hear no more,
who am embedded in a shell of Silence,

SILENCE

Viens, saint Silence, viens
grand époux de toute création.

Viens saint Silence ! arrive, arrive
de la présence de Dieu et enveloppe-nous.

Fais que la mer ne se soulève plus en mugissant,
tiens les étoiles tranquilles, de crainte que nous n'entendions
   les cieux résonner faiblement de leur choc !
enveloppe tous les bruits.

Entendez le rire de Dieu !
Entendez le rire du créateur !
Entendez le dernier des sept énormes rires de Dieu !
Entendez le dernier des sept énormes rires de la création !

Enormes, énormes roulent les grondements du rire tonnant
énormes, énormes, de plus en plus énormes,
jusqu'à ce qu'ils montent, remplissent et que tout soit plein
   du dernier des plus grands rires de Dieu
jusqu'à ce que tout devienne insonore et insensible, un
   formidable corps de Silence
enveloppant même le faîte des vagues de la pensée
m'enveloppant même moi qui n'entends plus,
qui suis incrusté dans une coquille de Silence,

enveloping even me, who hear no more,
who am embedded in a shell of Silence,
of silence, lovely silence
of endless and living silence
of holy silence
the silence of the last of the seven great laughs of God.

Ah ! the holy silence — it is meet !
It is very fitting ! there is nought beside !
For now we are passing through the gate, stilly,
in the sacred silence of gates
in the silence of passing through doors,
in the great hush of going this into that,
in the suspension of wholeness, in the moment of division
        within the whole !

Lift up your heads, O ye Gates !
for the silence of the last great thundrous laugh
screens us purely, and we can slip through.

m'enveloppant même moi qui n'entends plus,
qui suis incrusté dans une coquille de Silence,
de silence, merveilleux silence
d'interminable et vivant silence
de saint silence
du silence du dernier des sept grands rires de Dieu.

Ah ! le saint silence — il est rencontre !
Il est parfaitement ajusté ! à côté de lui c'est le néant !
Car maintenant nous passons par la porte, silencieusement
par le silence sacré des portes,
dans le silence de traverser les portes
en l'accalmie du passage de ceci en cela
dans le sursis de la plénitude, dans l'instant où se divise le
        tout !

Levez vos têtes ô vous Portes !
car le silence du dernier grand rire tonnant
nous garde purs, et nous pouvons glisser au travers.

THE HANDS OF GOD

It is a fearful thing to fall into the hands of the living God.
But it is a much more fearful thing to fall out of them.

Did Lucifer fall through knowledge ?
oh then, pity him, pity him that plunge !

Save me, O God, from falling into the ungodly knowledge
of myself as I am without God.
Let me never know, O God
let me never know what I am or should be
when I have fallen out of your hands, the hands of the living
        God.

That awful and sickening endless sinking, sinking
through the slow, corruptive levels of disintegrative knowledge
when the self has fallen from the hands of God.
and sinks, seething and sinking, corrupt
and sinking still, in depth after depth of disintegrative
        consciousness
sinking in the endless undoing, the awful katabolism into the
        abyss !
even of the soul, fallen from the hands of God !

Save me from that, O God !
Let me never know myself apart from the living God !

LES MAINS DE DIEU

C'est une chose effrayante de tomber entre les mains du
        Dieu vivant.
Mais c'est une chose bien plus effrayante de tomber
        d'entre ses mains.

Lucifer tomba-t-il à cause de la connaissance ?
oh, alors ayez pitié de lui, pitié de son plongeon !

Gardez-moi, Ô Dieu, de tomber dans la connaissance impie
de moi-même quand je suis sans Dieu.
Ne me laissez jamais savoir, Ô Dieu
ne me laissez jamais savoir ce que je suis ou serai
quand je serai tombé de vos mains, les mains du Dieu vivant.

Cet horrible, écœurant naufrage sans fin, naufrage
à travers les étapes lentes et corruptrices du savoir
        désintégrant
quand le soi est tombé d'entre les mains de Dieu.
et sombre, émergeant et sombrant, corrompu
et sombre encore, dans tous les gouffres de la conscience
        désintégrante
sombrant dans la défaite sans fin, l'horrible catabolisme dans
        l'abîme !
même de l'âme, tombée d'entre les mains de Dieu !

Gardez-moi de cela, Ô Dieu !
Ne me laissez jamais me connaître en dehors du dieu vivant !

PAX

All that matters is to be at one with the living God
to be a creature in the house of the God of Life.

Like a cat asleep on a chair
at peace, in peace
and at one with the master of the house, with the mistress,
at home, at home in the house of the living,
sleeping on the hearth, and yawning before the fire.

Sleeping on the hearth of the living world
yawning at home before the fire of life
· feeling the presence of the living God
like a great reassurance
a deep calm in the heart
a presence
as of the master sitting at the board
in his own greater being,
in the house of life.

PAX

Ce qui importe c'est d'être en accord avec le Dieu vivant
d'être une créature dans la maison du Dieu de Vie.

Tel un chat endormi sur la chaise
paisible, en paix
en accord avec le maître de la maison, la maîtresse,
chez lui, chez lui dans la maison des vivants,
dormant dans l'âtre et bâillant au feu.

Dormant dans l'âtre du monde vivant
bâillant chez soi devant le feu de la vie
sentant la présence du Dieu vivant
comme un grand apaisement
une paix profonde au cœur
une présence
comme celle du maître assis à table
dans son propre et plus vaste être,
dans la maison de la vie.

ANAXAGORAS

When Anaxagoras says : Even the snow is black !
he is taken by the scientists very seriously
because he is enunciating a « principle », a « law »
that all things are mixed, and therefore the purest white snow
has in it an element of blackness.

That they call science, and reality.
I call it mental conceit and mystification
and nonsense, for pure snow is white to us
white and white and only white
with a lovely bloom of whiteness upon white
in which the soul delights and the senses
have an experience of bliss.

And life is for delight, and for bliss
and dread, and the dark, rolling ominousness of doom
then the bright dawning of delight again
from off the sheer white snow, or the poised moon.

And in the shadow of the sun the snow is blue, so blue-aloof
with a hint of the frozen bells of the scylla flower
but never the ghost of a glimpse of Anaxagoras' funeral black.

ANAXAGORAS

Quand Anaxagoras dit : Même la neige est noire !
les hommes de science le prennent très au sérieux
car il énonce un « principe », une « loi »
qui veut que toutes choses soient mêlées, ainsi la pure neige
       blanche
renferme un élément de noir.

Ils appellent cela science, et réalité.
J'appelle cela orgueil et mystification
et absurdité, car la neige pure est blanche pour nous
blanche, blanche et rien que blanche
une splendide floraison de blanc sur le blanc
où l'âme trouve sa joie et les sens la béatitude.

Et la vie est faite pour la joie et la béatitude
et la terreur et le sombre présage de la ruine
puis l'aube claire à nouveau de la joie
qui jaillit de la pure neige blanche ou de la lune en équilibre.

Et dans l'ombre du soleil la neige est bleue, d'un bleu si fier
avec un soupçon de clochettes gelées de la fleur de scille
mais jamais l'âme du noir funèbre d'Anaxagoras.

SHADOWS

And if tonight my soul may find her peace
in sleep, and sink in good oblivion,
and in the morning wake like a new-opened flower
then I have been dipped again in God, and new-created.
And if, as weeks go round, in the dark of the moon
my spirit darkens and goes out, and soft strange gloom
pervades my movements and my thoughts and words
then I shall know that I am walking still
with God, we are close together now the moon's in shadow.

And if, as autumn deepens and darkens
I feel the pain of falling leaves, and stems that break in storms
and trouble and dissolution and distress
and then the softness of deep shadows folding, folding
around my soul and spirit, around my lips
so sweet, like a swoon, or more like the drowse of a low, sad song
singing darker than the nightingale, on, on to the solstice
and the silence of short days, the silence of the year, the shadow,
then I shall know that my life is moving still
with the dark earth, and drenched

OMBRES

Et si cette nuit mon âme peut trouver sa paix
dans le sommeil et sombrer dans le doux oubli,
et s'éveiller le matin comme une fleur fraîchement ouverte
alors j'aurai été une fois de plus plongé en Dieu et recréé.
Et si, les semaines passant, dans l'obscurité de la lune
mon esprit s'assombrit et s'éteint, et qu'une douce et étrange
        tristesse
s'infiltre dans mes gestes et mes pensées et mes paroles,
alors je saurai que je marche encore
près de Dieu, que nous sommes ensemble, maintenant que la
        lune est dans l'ombre.

Si, quand l'automne mûrit et s'assombrit
j'éprouve la douleur des feuilles tombantes, des branches qui
        se brisent dans l'orage
le trouble, la dissolution et la détresse,
et puis le moelleux des ombres profondes qui se plient et se
        replient
autour de mon âme et de mon esprit, autour de mes lèvres
si douces, comme une défaillance, ou plus encore comme la
        somnolence d'un chant lent et triste
qui chante plus sombre encore que le rossignol, tout au long,
        jusqu'au solstice
et le silence des jours écourtés, le silence de l'année, l'ombre,
alors je saurai que ma vie bouge encore
en même temps que la terre noire, et se noie

with the deep oblivion of earth's lapse and renewal.

And if, in the changing phases of man's life
I fall in sickness and in misery
my wrists seem broken and my heart seems dead
and strength is gone, and my life
is only the leavings of a life :

and still, among it all, snatches of lovely oblivion, and snatches
            of renewal
odd, wintry flowers upon the withered stem, yet new, strange
            flowers
such as my life has not brought forth before, new blossoms of me —

then I must know that still
I am in the hands [of] the unknown God,
he is breaking me down to his own oblivion
to send me forth on a new morning, a new man.

dans le profond oubli de la déchéance et du renouveau de la
    terre.

Et si durant les phases changeantes d'une vie d'homme
je tombe dans la misère et la maladie,
que mes poignets semblent brisés et mon cœur mort
ma force disparue et ma vie
seulement les débris d'une vie :

et cependant au milieu de tout cela, des instants de parfait
    oubli, et des instants de renouveau,
de rares fleurs hivernales, sur une tige flétrie, pourtant
    nouvelle, d'étranges fleurs
telles que ma vie n'en a jamais produites auparavant, une
    nouvelle floraison de moi —

alors je saurai que
je suis encore entre les mains du Dieu inconnu,
qu'il me brise jusqu'en son propre oubli
pour me jeter dans un matin neuf, homme nouveau.

EN MANIÈRE DE POSTFACE
par Claude Michel Cluny

Jamais la poésie n'abandonna David-Herbert Lawrence. C'est assez rare chez les auteurs dont l'œuvre en prose est considérable : Kipling, Melville, ou Thomas Hardy en sont d'autres exemples dans le domaine anglo-saxon moderne. Il y a en Lawrence le sentiment diffus et persistant que la poésie demeure la parole primordiale, celle des origines, du divin ou du sacré, le verbe des célébrations et du « temps présent ». L'écrivain errant, maudit, malade, veut faire en sorte que le poème soit une conquête de l'instant grâce à l'instinct du démiurge, affamé de toute la vie à prendre, intense, et dont il pressent peut-être qu'elle sera brève. Mais souvent marquée de fulgurances, indélébiles cicatrices de paniques et d'orages. L'adolescent roux mis à nu par les Bacchantes de son village, le faune (le « satyre » obscène et barbu pour les offusqués d'un victorianisme cadavéreux), l'interdit de séjour, l'écrivain errant autour du monde comme à la recherche du « ravissement que seul un dieu peut faire naître » — *L'homme de Tyr* à la vue d'Aphrodite sortant des flots —, tel fut Lawrence. Un homme en quête de « plénitude », d'un accord harmonieux de la nature avec l'esprit, du verbe avec l'instant, du sexe avec le bonheur d'être, de soi avec « Dieu ». Un homme, donc, déchiré.

Le choix des textes réunis dans notre anthologie offre à qui découvre la poésie de David Herbert Lawrence un kaléidoscope saisissant de ses courants de pensée instinctifs, parfois contradictoires (franchement incompatibles aux yeux de la sacro-sainte logique : mais la logique n'a vraiment rien à faire ici). D'où les heurts, les remous de forces presque antagonistes, les tensions de l'œuvre. Mais ne serait-ce pas à ses explorations romanesques qu'il abandonna *l'illusion lyrique* du syncrétisme, se leurrant à la fois sur la nature de la religion aztèque (*Le serpent à plumes*), mais devin, hélas, du monde qui est devenu nôtre dans *Kangourou* ? Le poème assume mieux ses contraires, creuset de l'instant d'où doit renaître un reflet de l'essentiel. « C'est l'inconnu et l'inconnaissable qui dispose de toute création », écrit-il dans un essai intitulé *La nécessité d'être* *. Il ajoute : « Nous savons seulement que, surgis de l'innommé, de profonds désirs pénètrent en nous et que l'accomplissement de ces désirs contribue à la création. (...) Notre affaire est donc d'obéir avec confiance et probité à nos impulsions, en ayant foi en cette pure moralité spontanée, sachant que la rose s'épanouit — et considérant ce savoir comme suffisant ». Rappelons-nous, lisant Lawrence, cette insistance à marquer la pureté : celle de la morale, du corps, de l'instant. Lumière rédemptrice et païenne de la chair « des dieux nus comme des cœurs d'amandes / Etrangement, presque sinistrement d'une odeur charnelle / Comme mêlée de sueur / Et ruisselante de mystère » — vision que l'on croirait celle du Caravage et liée, foncièrement, à la tradition antique.

Et si le dieu Pan n'était pas mort ? A parcourir le monde, en quête d'une lumière touchant au seuil de la caverne ombilicale, démiurge et homme sans descendance, il semble que le poète, partout, entende les échos de son appel. Le verbe devient l'intercesseur d'une pansexualité qui, vécue non radieuse, a su s'ériger — avec la puissance de tout élan resserré dans les contraintes, sinon dans les interdits —, fécondante, libératrice. Une intense circulation de sève anime la poésie de Lawrence. « Obsédé », bien évidemment, selon le verdict des imbéciles. Mais il annonce les analyses de Marcuse : il n'est pas pour lui d'accomplissement ni d'harmonie sans bonheur sexuel. La parole se métamorphose en flèche vibrante, en lame tranchant les voiles, en fleur nue, hermaphrodite, répandant, projetant une semence de mots en pluie. Lui reprochera-t-on de ne pas avoir toujours épuré, ôté les graines folles, que ce serait méconnaître la nature d'un écrivain aussi ouvert aux impulsions élémentaires, et qui s'insurgeait lorsqu'on tentait de le rapprocher de ses pairs — Eliot, ou Virginia Woolf —, acceptant d'être rejeté mais non pas, à ses yeux, détourné. Sa défense lyrique de la « poésie du présent » dont il voit l'exemplarité dans l'œuvre de Walt Whitman

---

* In *Homme d'abord*, essais choisis et présentés par Marcel Marnat, traduction Thérèse Aubray, 10/18, 1968.

fait très bien comprendre quelle voie il a choisie, et comment il entend lui demeurer fidèle. Lawrence se veut là où est la vie, brassant tout sans souci des oppositions, sachant que tout retourne à l'humus, que la mort engendre un retour. Il sait ce qui reste à gagner, à partager : « Un royaume que nous n'avons jamais conquis : le pur présent ». Il est là,

> *Un arbre nu de fleur, comme un fiancé qui se baigne dans la rosée,*
> *dépouillé de son enveloppe,*
> *Nu frêle, totalement découvert*
> *Sous le vert aboiement nocturne de l'étoile du Chien...* *

Il faudra bien aussi que les divinités s'accommodent avec lui : pour Lawrence, la Terre se partage avec les dieux, Mithra, Quetzalcóatl, le Grand Pan ou le Dieu des chrétiens... Peut-être jugera-t-on que les saints à qui le poète prête parole prennent quelques libertés avec le catalogue théologique en vigueur ? Cela aura du moins pour mérite de les rendre plus humains (même si la suspicion s'insinue, que Pasolini, plus tard, magnifiera à l'écran). Au démiurge le dogme importe peu. Mais la tentation de David Herbert Lawrence ne réside pas dans le refus, plutôt dans l'appropriation. Lui qui assuma le viol d'une morale (qui malheureusement n'est pas près de se prendre pour Lucrèce), il s'empare de Dieu. Ou, plutôt, jetant par dessus bord d'inutiles ou contestables attributs, et assurant que « le pied de la croix s'est envolé du Carmel », et que « le Tout-Puissant a déplacé son trône, il nous faut trouver une nouvelle route et abandonner l'ancienne » : mais que faire de Dieu ? Lawrence ne peut se résigner aux liens tissés par l'Eglise — celle de Rome ou tout autre. Etre d'abord un poète libre. Puis, inlassablement, retisser les traces du sacré. Dans le même essai sur *La nécessité d'être* où sont prises les réflexions qui précèdent, il écrit — et conclut : « Nous cherchons Dieu selon le Saint-Esprit et sous sa dépendance. Il n'y a pas de Voie. Il n'y a pas de Verbe. Il n'y a pas de Lumière. Le Saint-Esprit est insaisissable et invisible. Et cependant nous entendons son étrange appel, l'étrange appel du

---

* In *Fleur d'amandier* ; c'est à partir de cette citation que d'un commun accord avec les traducteurs nous avons déterminé le titre de la présente anthologie.

chien qui flaire la piste, au loin, dans un désert sans contours. Et quelle joie de le suivre. La grande joie : la joie de Dieu. Moi-même, je crois en Dieu. Mais je file dans une autre direction. *Adios !* et, si vous le voulez, *au revoir !* »

Dépourvu ni d'ironie ni d'humour, et conscient d'être aussi mal aimé qu'inclassable, peu lui chaut de théoriser à l'humeur du moment, la théorie n'est pas son but, elle n'est pas non plus un recours. Si la beauté, la plénitude le requièrent, il ne recule pas devant les forces ténébreuses, les formes malades qui sont aussi la vie. Dans l'une de ses plus belles nouvelles, *le Renard* ★, dont la sexualité est l'axe (précisons, en jouant sur les mots que le terme anglais *axe* signifie la hache), c'est la mort qui permet l'accomplissement. Tout est intriqué, tout se mêle et se complète. Tout est complémentaire d'une liberté criée comme une foi. Tandis que résonne à l'infini l'écho d'« orphiques adieux ».

★ *Editions Stock. Traduction de Leo Dilé.*

ORIENTATION BIOBIBLIOGRAPHIQUE

1885 - Naissance le 11 septembre, à Eastwood (Nottinghamshire), de David Herbert Lawrence. La mère est une « intellectuelle » conformiste, le père un mineur, fruste, déçu, qui se met à boire.

1897-1908 - D.H.L. suit les cours de plusieurs écoles, jusqu'au Nottingham University College.

1901 - Un premier amour avec Jessie Chambers.

1908 - Instituteur à Croydon.

1909 - Premiers poèmes publiés dans l'*English Review*.

1911 - Premier roman, publié l'année de la mort de sa mère : *Le Paon blanc*.

1912 - Rencontre de Frieda Weekley. Les jeunes gens partent pour l'Allemagne, l'Autriche et l'Italie.

1913 - Marié à Frieda, il rompt toute relation avec Jessie Chambers. Après l'Italie, retour en Angleterre où le couple se lie avec Katherine Mansfield et son mari, John Middleton Murry.

1915 - Un projet fumeux de société communautaire (« Ranamion »), mais surtout saisie, à peine publié, de *L'Arc-en-ciel*.

1916 - Vie précaire dans les Cornouailles avec les Murry, qui partent. Lawrence publie *Crépuscule sur l'Italie*.

1917 - Expulsé des Cornouailles, les Lawrence gagnent Londres, le Berkshire. Publication de poèmes importants : *Look*, et *We Have Come Through*. La même année, Valéry publie *La Jeune Parque*, Max Jacob *Le Cornet à dés*.

1918 - Parution des *New Poems*, avec une préface justifiant le vers libre et « La poésie du présent », dont nous donnons ici la première traduction en français.

1919 - Les Lawrence partent pour l'Italie. Se lient avec Norman Douglas et Maurice Magnus (qui se suicidera l'année d'après).

1920 - Toujours en Italie (Capri, Abruzzes, Sardaigne...). D.H.L. publie *Femmes amoureuses* ; Valéry *Le Cimetière marin*.

1921 - Voyages en Allemagne, Autriche, Suisse, et retour en Italie.

1922 - Départ des Lawrence pour Ceylan. Puis séjour en Australie. Ils traversent le Pacifique, débarquent à San Francisco, et se rendent à Taos (Nouveau Mexique) à l'invitation de Mabel Dodge Luhan. D.H.L. publie *La Verge d'Aaron*, *Fantaisie de l'inconscient*.

1923 - Année chargée : brouille avec Mabel Dodge Luhan, et voyages de D.H.L. en Californie, au Mexique, puis départ pour l'Angleterre à la suite de Frieda. Il publie, notamment, *Kangourou*, et ses *Essais sur la littérature classique américaine*.

1924 - Séjours des D.H.L. en Allemagne et en France. Ils repartent pour le Nouveau Mexique où les différends avec Mabel Dodge Luhan reprennent aussitôt. Publication de *Jack dans la brousse*. Année du *Manifeste du surréalisme*, d'*Anabase* de Saint-John Perse.

1925 - Retour, définitif, vers l'Europe. Publie *Réflexions sur la mort d'un porc-épic*. Eisenstein tourne *Le Cuirassé Potemkine*. Virginia Woolf publie *Mrs Dalloway*.

1926 - Nouveau séjour en Italie et excursions (ou incursions ?) en Angleterre. Lawrence commence de souffrir de la tuberculose qui l'emportera quatre ans plus tard. T.E. Lawrence publie *Les Sept Piliers de la Sagesse*.

1927 - Se rend brièvement en Autriche pour raison de santé. Heidegger publie *L'Etre et le temps*, Abel Gance tourne *Napoléon*.

1928 - Errance de la Suisse à la Provence (pour raison de santé) où il est l'hôte à Port-Cros de Richard Aldington. Paraissent deux livres majeurs, *L'Amant de Lady Chatterley*, et *Collected Poems*. Malraux publie *Les Conquérants*, Federico García Lorca *Le Romancero gitan*. Dreyer tourne *La Passion de Jeanne d'Arc*.

1929 - Séjour à Majorque. Voyages en Italie et en Allemagne. Exposition de ses peintures à Londres. Il publie, entre autres titres, *Pensées*, et son essai *Pornography and Obscenity*. Claudel : *Le Soulier de satin* ; King Vidor : *Hallelujah* ; Faulkner : *Le Bruit et la Fureur* ; R. Aldington : *Mort d'un héros*.

1930 - Après un séjour en sanatorium, Lawrence s'éteint à Vence, dans sa villa, le 2 mars. Cocteau fait scandale avec *Le Sang d'un poète*, Buñuel avec *L'Age d'or*.

1964 - *The Complete Poems of D.H. Lawrence*, Angelo Ravagli & C.M. Weekly, Londres, rééd. en 1967.

1985 (octobre) - *Trente-quatre poèmes*, traduits et présentés par Lorand Gaspar, Editions Obsidiane, Paris.

N.B. : Tous les ouvrages dont le titre est cité en français ont été traduits.

TABLE

ACHEVÉ D'IMPRIMER
EN JANVIER 1989
SUR LES PRESSES
DE L'IMPRIMERIE SZIKRA
90200 GIROMAGNY

ISBN : 2-7291-0368-6